D0324774

GUY LAFLEUR

GLOIRE ET PERSÉCUTION

Collection
« À DÉCOUVERT »

David Santerre

GUY LAFLEUR
GLOIRE ET PERSÉCUTION

Ouvrage établi sous la direction
de Stéphane Berthomet

« À mon grand-papa,
décédé durant la rédaction de cet ouvrage.
Il était un grand fan des « vrais » Canadiens,
ceux de Morenz, Richard, Béliveau et... Lafleur. »

Sommaire

1. La gloire
2. La honte
3. De hauts en bas
4. Un dangereux coup de foudre
5. Le concubinage
6. Sexe, drogue et violence
7. La terreur
8. L'accusation
9. Les thérapies
10. Les deux témoignages de Guy Lafleur
11. L'affront
12. La contre-attaque
13. Le procès
14. Le faux pas de Cassandra
15. La deuxième chance
16. Le débat
17. La déconfiture
18. Le défoulement collectif
19. Le plan de match
20. Mode d'emploi
21. Le retour au sommet
22. Et maintenant

1
LA GLOIRE

Il ne restait que quelques minutes à jouer. Tout portait à croire que le tricolore verrait la coupe Stanley lui échapper, sur sa propre glace au vieux Forum, après trois conquêtes consécutives. Les deux dernières coupes avaient été acquises en grande finale par les Canadiens contre les brutes des Bruins de Boston, grâce à un jeu raffiné et inspiré, et surtout au brio de leur gardien, Ken Dryden.

Deux ans plus tôt, après deux victoires du Canadien à domicile, le très subtil fier-à-bras des Bruins, John Wensink, avait promis aux journaux de Boston qu'aussitôt que le numéro 10 de Montréal poserait ses patins sur la glace bostonienne, il lui arracherait la tête. Et, quand le match numéro trois de la série finale s'amorça, la foule locale était survoltée. Et ce jour-là, le 10 a été plus éblouissant que jamais, marquant deux buts et récoltant deux passes dans une victoire de quatre à deux. Il avait fait taire les partisans hostiles des Bruins. Les Habs les battaient de nouveau sur leur terrain deux jours plus tard, remportant la coupe en quatre matchs. Scénario similaire l'année suivante, mais Boston avait vendu sa peau plus chèrement. Il avait fallu six matchs aux Montréalais pour les achever.

Cette fois, la commande semblait particulièrement difficile pour la troupe de Scotty Bowman en cette fin de septième et décisif match de la demi-finale. Ces mêmes Bruins menaient quatre buts contre trois. Jusque-là, chaque équipe avait gagné ses trois matchs à domicile. La foule du vieux Forum était plutôt calme. Voire résignée. On ne peut tous les gagner se disaient les milliers de spectateurs.

Après tout, la suprématie des Canadiens devait forcément être mise à l'épreuve un jour. Une jeune équipe, les Islanders de New York, menée par Brian Trottier, Mike Bossy et Denis Potvin, semblait vouloir devenir la nouvelle puissance de la ligue. Ils avaient d'ailleurs détrôné le Canadien du premier rang de la ligue après trois saisons de domination pratiquement sans compétition.

Mais, heureusement pour les partisans montréalais, les plus connaisseurs et les plus exigeants de toute la ligue nationale de hockey, il existait encore à l'époque des joueurs pour qui le dépassement de soi et la persévérance, même dans la douleur, étaient plus importants que tout. Plus importants qu'un gros salaire et que la gloire personnelle.

Pour eux, rien n'était plus grand que la victoire. La défaite n'était pas une option.

C'est avec cette rage de vaincre que le grand numéro 10 du Canadien, dont l'équipe se trouvait en supériorité numérique à moins d'une minute et demie de la fin du match et de la cruelle élimination, s'amena près de son gardien de but, Dryden, pour récupérer la rondelle que les défenseurs des Bruins venaient de dégager de leur zone.

La punition accordée à Boston en fin de match parce qu'ils avaient eu un joueur de trop sur la glace, chose rare, était une dernière chance inespérée de sauver la peau de l'équipe.

Le numéro 10 le savait. Et pourtant, même si les secondes s'effritaient à vitesse grand V et que la fin de la joute approchait, il était du plus grand calme.

Après avoir récupéré la rondelle, il a doucement contourné son filet à gauche vers la droite de Dryden. Avant de relancer son attaque, il a élégamment pivoté pour éviter son couvreur, Don Marcotte – une vraie peste pour Lafleur depuis quelques années – et il est revenu au plus profond de son territoire.

Une fois Marcotte largué, le 10 se mit en marche. De son coup de patin si fluide qu'il était difficile d'en réaliser la puissance et la vitesse, il accéléra sur l'aile droite. Dépassant à peine sa ligne bleue, il passa loin devant lui, à la ligne bleue de Boston. C'est le 25 qui capta la passe. Son joueur de centre favori, Jacques Lemaire. Ce même Lemaire qui allait devenir son entraîneur quelques années plus tard et qui, à ses yeux, le trahirait.

Mais, à ce moment-là, la chimie était parfaite entre les deux hommes. Lemaire s'enfonça profondément sur la droite dans le territoire de Boston, attirant vers lui un défenseur.

Puis, sans même lever les yeux, le 25 renvoya la rondelle loin derrière lui. Il savait que le numéro 10 serait là où il le fallait.

À peine entré dans la zone des Big Bad Bruins, se servant de son couvreur comme écran, le 10 réceptionna la passe et décocha un boulet au ras de la glace, comme lui seul en détenait le secret.

Le pauvre gardien de Boston, le Québécois Gilles Gilbert, eut à peine le temps d'étirer la jambière droite, sous laquelle la rondelle est passée pour se loger derrière lui dans le filet. Puis, Gilbert est tombé à la renverse, restant de longues secondes étendu sur le dos, sachant très bien, qu'à cet instant, il venait d'échapper la partie aux mains des locaux, à 18 minutes 36 secondes de la troisième période, en ce 10 mai 1979.

Le score était de quatre à quatre. Mais, une fois la foule ranimée, c'est Montréal qui dicta l'allure du reste de la rencontre.

Après neuf minutes de prolongation, Yvon Lambert marquait le but le plus important de sa carrière, qui éliminait les Bruins pour une troisième année consécutive et permettait à son équipe de se diriger vers sa quatrième conquête consécutive de la coupe Stanley. Un grand honneur que le Canadien alla chercher haut la main en battant les Rangers de New York en cinq parties.

La bougie d'allumage de cet autre triomphe fut le but égalisateur du numéro 10. Le Démon blond pour certains, *Flower* pour d'autres. Guy Lafleur, de son vrai nom.

Depuis cinq ans, l'homme marquait plus de 50 buts par saison. Il avait mené l'équipe à quatre coupes déjà. En 1973, 1976, 1977, 1978, avant cette dernière, en 1979. Il avait ébloui des dizaines de milliers de spectateurs à travers la ligue, un peu partout en Amérique du Nord, mais aussi en Russie. Mais c'est ce but, marqué sous une incroyable pression, qui le fit véritablement entrer dans la légende.

Le Forum était en délire.

Le bouillant Don Cherry, alors entraîneur de Boston, rendit hommage à Lafleur après le match. Sa bourde, cette erreur qui avait amené six joueurs sur la patinoire et causé cette punition fatidique dont a profité Lafleur, allait lui coûter son poste quelque temps plus tard.

Si tout semblait aller comme sur des roulettes pour les Canadiens, ils avaient aussi leurs problèmes. Avant cette dernière saison, l'équipe avait été vendue à la brasserie Molson et le génial directeur-gérant Sam Pollock avait quitté l'équipe. L'entraîneur Scotty Bowman, incapable de travailler avec la nouvelle administration, s'en irait à son tour peu de temps après cette ultime conquête de la coupe, comme les joueurs vedettes Yvan Cournoyer, Jacques Lemaire et Ken Dryden. Malgré ces départs fracassants, Lafleur allait connaître une autre saison de rêve avec le Canadien en 1979-1980. Mais l'équipe n'aspira même pas à la coupe Stanley.

Pour Lafleur, âgé de 29 ans, ça sentait déjà le début de la fin. Les années suivantes allaient être marquées par un conflit ouvert avec ses anciens coéquipiers, Jacques Lemaire et Serge Savard, qui furent plus tard nommés entraîneur et directeur-gérant de l'équipe. Lafleur allait prendre une retraite non désirée en 1984, poussé vers la porte après quatre saisons de misère au cours desquelles on tenta de l'intégrer à un nouveau système de jeu hermétique auquel il n'adhérait pas.

Sa retraite fut pénible et monotone, malgré la naissance toute récente de son deuxième fils, Mark. *Flower* n'avait pas le sentiment du devoir accompli, et le poste bidon aux affaires publiques de l'équipe, que lui avait confié le président Ronald Corey, était loin de lui plaire. Il avait l'impression d'avoir été mis au rancard.

Qui plus est, son congédiement de ce poste bidon a été une cruelle façon de remercier l'un des plus grands joueurs de son histoire, qui rêvait, après avoir accroché ses patins, d'obtenir un poste à la direction de l'équipe. Il aurait aimé assister le directeur-gérant, participer à la chasse aux jeunes talents, aider l'équipe à toujours porter haut le flambeau que les Morenz, Richard, Béliveau et lui-même avaient maintenu en vie de brillante façon tout au long de leurs carrières.

Son retour au jeu avec les Rangers, à la saison 1988-1989, allait ravir ses fans. Surtout lors de son premier match au Forum dans un uniforme autre que celui de la Sainte-Flanelle, le 4 février 1989. Dans un match que New York perdit, Lafleur trouva tout de même le moyen de ravir ses anciens partisans, marquant deux buts contre un certain Patrick Roy et amassant deux passes.

Sa carrière se poursuivit ensuite durant deux années à Québec, avec les Nordiques. Il y fit un travail fort honorable pour son âge et y stimula les jeunes vedettes montantes du club comme Joe Sakic.

Après avoir compté 560 buts et amassé 793 mentions d'assistance en saison régulière, avoir remporté cinq coupes Stanley, trois championnats des compteurs et avoir été intronisé au Temple de la renommée du hockey, il pouvait estimer avoir accompli sa mission.

À la fin de la saison 1990-1991, c'est avec le sentiment du devoir accompli qu'il annonça qu'il prenait sa retraite. Contrairement à sa « retraite » de 1984, il partait la tête haute, au sommet de sa gloire.

Personne ne l'avait poussé vers la sortie.

Cette fois, il quittait le hockey, l'âme en paix.

2
La honte

Vêtu d'un complet sombre, les traits tirés, Guy Lafleur arpentait en ce 18 juin 2009 pour une énième fois dans les deux dernières années et demie les couloirs anonymes et fades de l'énorme palais de justice de Montréal, l'un des plus grands d'Amérique du Nord.

Dans cette arène, les protagonistes ne sont pas chaussés de patins et ne portent pas les redoutables chandails jaune et noir des Bruins de Boston ou ceux orangé, noir et blanc des Flyers de Philadelphie.

Et pourtant, Dieu sait à quel point *Flower* aurait préféré se retrouver avec deux mastodontes ainsi vêtus, un Dave Schultz ou un John Wensink qui aurait promis qu'il ne ressortirait pas vivant d'un match à Boston, fonçant sur lui dans le but de lui casser les os ou de lui arracher la tête, et ainsi l'empêcher de marquer. Au moins ceux-là, il savait bien les esquiver.

Mais ici, il se retrouvait en compagnie de petits truands, de trafiquants de drogues, de vulgaires voleurs, des prostituées, de pauvres clochards ayant du mal à dessaouler, peut-être même des fraudeurs et des batteurs de femmes. Même s'il n'avait, à première vue, rien à voir avec ces éclopés de la vie, il devait se résoudre à se plier aux mêmes règles du jeu qu'eux et comparaître devant l'arbitre, qui n'arbore pas le chandail rayé noir et blanc, mais plutôt l'effrayante toge noire et rouge des juges.

Ce n'était pas la première fois qu'il se retrouvait devant le tribunal à devoir répondre à des accusations, devant des hordes de reporters. Le 8 septembre 1983, Lafleur et des amis, Léo-Paul Drolet et Georges

Guilbeault, respectivement propriétaire et directeur marketing des bâtons de hockey Sherwood, avaient dû subir un procès à Lac-Mégantic, accusés d'avoir tué un chevreuil hors de la période réglementaire de chasse, le 27 novembre 1982, alors que Lafleur était sans permis. Heureusement pour eux, ils avaient été acquittés. Cette affaire a toutefois forcé Lafleur à avouer un petit mensonge qui n'est pas passé inaperçu vu les fréquents excès de franchise de l'homme. La fameuse partie de chasse avait été ébruitée dans les médias dans les jours qui l'avaient suivie. Et Lafleur avait affirmé qu'il avait abattu sa bête dans le Maine, où la saison de chasse n'était pas terminée. Sauf qu'en réalité, admit-il plus tard, c'était en Beauce, dans une réserve appartenant à Réal Bureau, où vivaient des chevreuils en captivité. Lui aussi fut accusé puis acquitté plus tard.

Même s'il avait été innocenté, cette affaire avait fait couler beaucoup d'encre et avait alimenté les lignes ouvertes. Aux yeux du public, c'était la première petite tache au dossier de Guy Lafleur.

Mais ce n'était rien comparé à ce qu'il vivait cette journée-là. Pendant les deux dernières années et demie, cette icône québécoise a affronté la tempête et l'humiliation. Il a été obligé d'étaler au grand jour les aspects les plus intimes et les plus sombres de sa vie, de justifier la façon dont il a élevé ses enfants et de promettre d'agir à l'avenir en bon père de famille sévère. Le tout devant des dizaines de journalistes qui résumaient et analysaient chaque jour la moindre phrase qu'il prononçait. Et cette fois, il n'avait plus derrière lui ce public réconfortant. Aucune groupie ne l'attendait au sortir de l'arène, en scandant le traditionnel *Guy ! Guy ! Guy !*

Il faut dire qu'il a la *couenne dure*, le légendaire numéro 10. Il en a vu d'autres. Il a mené une existence hors du commun et la vie s'est chargée de semer de rudes épreuves sur sa route. Comme ce complot, pendant les séries éliminatoires de 1976. La police avait arrêté un petit truand en marge du célèbre vol de la Brinks qui avait rapporté 2,8 millions de dollars à ses auteurs. S'étant fait délateur, le truand avait mis les enquêteurs au parfum d'un plan qu'échafaudaient des bandits, qui consistait à enlever Guy Lafleur en échange d'une rançon d'un million de dollars, payable par les Canadiens. Par mesure de sécurité, l'épouse de Lafleur et leur poupon Martin avaient été envoyés à l'hôtel Place Bonaventure pour toute la durée des séries tandis que le hockeyeur se déplaçait équipé d'un émetteur permettant de le retracer si jamais les truands mettaient leur sombre plan à exécution. Le numéro 10 était escorté partout par deux policiers armés qui montaient la garde chez lui. Cela n'a pas empêché le Démon blond de marquer le but victorieux qui a valu la coupe Stanley à son équipe contre les Flyers, le 16 mai 1976. Le jour même, les bandits étaient arrêtés à Ottawa.

Dans le sport comme dans la vraie vie, Lafleur a fait face à la musique avec aplomb. Il a toujours été un livre ouvert et il dit les choses franchement, peut-être trop. Son franc-parler lui a souvent joué de vilains tours. En fait, depuis son accession au statut de superstar, à l'adolescence, il a vu les journalistes rapporter le moindre de ses propos comme s'il s'agissait de la parole du Seigneur. Il y a même pris un malin plaisir, y allant de coups de gueule d'une désarmante franchise, remettant à sa place les entraîneurs du Canadien, Scotty Bowman ou Claude Ruel, des coéquipiers et, plus récemment, l'ex-capitaine de l'équipe, Saku Koïvu. Chaque fois, il était critiqué. Mais il persistait et signait, car c'était ce qu'il pensait. C'était sa vérité.

« Guy avait une peur presque maladive du mensonge », écrivait le biographe George Hébert-Germain en parlant de Lafleur alors qu'il était enfant, dans son ouvrage *Guy Lafleur, l'ombre et la lumièr*e, publié en 1990.

C'est justement pour avoir dérogé à cette sacro-sainte règle de vie que Lafleur se retrouvait ce 18 juin au palais de justice, en attente de la décision du juge de la Cour du Québec, Claude Parent, prêt prononcer une sentence.

En voulant aider son fils Mark, atteint du syndrome de Gilles de la Tourette, hyperactif et toxicomane, à sortir de prison en attente d'un procès au cours duquel il devait répondre à des accusations d'agression envers sa petite amie mineure, Guy Lafleur n'a pas joué franc jeu.

Témoignant à deux reprises devant le tribunal pour tenter de le convaincre de libérer son fils, il affirmait dans un premier temps que, lors d'une libération conditionnelle passée, son fils respectait le couvre-feu qui lui était imposé chaque fin de semaine qu'il passait chez ses parents. Mais, dans un second témoignage, Lafleur revenait sur cette affirmation et admettait que Mark avait découché à deux reprises pendant cette période pour passer la nuit à l'hôtel avec une nouvelle copine de 16 ans.

Cela a évidemment nui à Mark plus que cela ne l'a aidé. C'est entre autres pour cette raison qu'il est resté détenu tout au long des procédures judiciaires.

Quant au célèbre père, son arrestation et sa mise en accusation, pour avoir livré des témoignages contradictoires devant la Cour furent rocambolesques. Elles entraînèrent, à tort ou à raison, une vague de sympathie populaire à son égard. Nous y reviendrons plus loin.

Son procès fut plutôt simple. On a fait entendre au juge Parent les bandes audio des deux témoignages contradictoires. Lafleur a patiné du mieux qu'il a pu pour persuader le juge du fait qu'il n'avait jamais commis de faute, et que, si ce fut le cas, c'était en toute bonne foi. Un simple oubli de sa part, et non pas une tentative de tromper la justice.

Mais le juge a bloqué toutes les tentatives de se disculper du Démon blond. Et cette fois, Lafleur n'a pu lever les bras au ciel en signe de victoire et a dû se résigner à subir ce cuisant revers. Revers qu'il n'a pu accepter d'ailleurs puisqu'il a rapidement porté le verdict du juge Parent en appel.

Ces deux années et demie ont grandement usé le Démon blond. Il a vieilli, mais surtout, le feu qui brûlait dans ses yeux sur la patinoire, et chaque fois qu'il se lançait dans un projet qui l'emballait, s'est éteint. Le 20 septembre 2009, à l'occasion de son 58e anniversaire, Lafleur a reçu un hommage télévisé sans précédent, rendu par ses amis et anciens adversaires, tels les légendaires Marcel Dionne, Gilbert Perreault, Raymond Bourque et Jean Béliveau. Toutefois, même s'il semblait touché, *Flower* ne rayonnait pas autant que par le passé.

Son épouse Lise Barré-Lafleur semblait elle aussi plus éteinte. Cette femme opiniâtre qui a toujours supporté son mari dans les meilleurs comme dans les pires moments, et qui, à quelques reprises, l'a accompagné au palais de justice, y témoignant même, est sortie aigrie de cette épreuve. Ce jour de juin où son époux attendait de savoir quel sort lui réservait le juge, elle était chez elle à tenter de se remettre d'une profonde dépression. Après le prononcé de la sentence contre son fils et, durant les huit mois qu'ont duré les procédures, elle a été clouée au lit la majeure partie du temps et n'a pas prononcé un seul mot. Il faut dire que, bien avant que la triste histoire de leur fils Mark ne soit révélée au grand jour, madame Lafleur vivait dans l'angoisse et la peur qu'un drame ne survienne. Depuis plusieurs mois, elle avait appris qu'il consommait du crack et maltraitait sa petite amie.

Si Lafleur avait la mine si déconfite, ce 18 juin, jour de sentence, c'est aussi parce qu'il savait que, peu importe la décision que rendrait le juge Parent, tout aussi clémente serait-elle, son étoile avait pâli et les conséquences sur sa vie se rappelleraient à lui pendant plusieurs années.

C'est que l'accusation d'avoir livré des témoignages contradictoires commande une peine maximale de 14 ans de prison. Évidemment, Lafleur savait bien qu'il ne passerait pas une seule journée derrière les barreaux. Mais son avocat, le célèbre plaideur sherbrookois, Me Jean-

Pierre Rancourt, lui avait bien expliqué que pour tous les crimes punissables d'une peine de 14 ans ou plus, il est impossible d'obtenir une absolution inconditionnelle, c'est-à-dire une peine qui se résume à une tape sur les doigts, en échange généralement d'un don en argent à un organisme communautaire de circonstance. L'absolution évite au coupable l'humiliation de se retrouver avec un casier judiciaire.

C'est ainsi que, peu importe ce qui arriverait, Guy Lafleur devrait subir l'affront de se retrouver avec un casier judiciaire. Aux yeux froids de la justice, *Flower* serait maintenant un criminel.

Pour son travail d'ambassadeur du Canadien de Montréal, qui l'amène régulièrement à voyager dans les différentes villes de hockey d'Amérique du Nord, cela poserait un problème de taille. Avant de retourner aux États-Unis, il devra faire une demande au *Homeland Security Department* américain afin d'obtenir un document, le fameux *waver*, lui permettant de franchir la douane malgré son casier judiciaire. Pas de doute qu'il l'obtiendra. Il n'est ni un trafiquant de drogue, ni un homme violent, ni un fraudeur, des criminels qui attirent la méfiance suprême chez nos voisins du sud.

Il reste que c'est une complication administrative et une procédure humiliante pour le gagnant qu'il est, mais avec laquelle il devrait apprendre à vivre comme tous ceux qui passent par là.

Peut-être pensait-il aussi aux dizaines de petits truands qui mentent effrontément sous serment devant le tribunal, et qui sortent des palais de justice du Québec le sourire aux lèvres, fiers de s'être encore une fois tirés d'affaire en déroutant le juge. Dans l'écrasante majorité des cas, ils ne seront jamais mis sous enquête ni accusés de témoignage contradictoire, de parjure ou d'aucune autre accusation pour avoir ainsi trompé la justice.

Guy Lafleur devait avoir bien envie de se pincer pour savoir si toutes ces tuiles qui lui tombaient sur la tête ces dernières années n'étaient pas plutôt un affreux cauchemar, espérant se réveiller chez lui, près de Lise, sachant ses deux fils heureux et réussissant leur vie avec bonheur et panache, comme lui.

Comment avait-il pu tomber si bas après avoir connu les plus hautes sphères de la gloire ?

3
De hauts en bas

Depuis sa retraite du hockey en 1991, Guy Lafleur en a fait des métiers.

Outre les nombreuses compagnies pour lesquelles il a agi à titre de porte-parole publicitaire — dont la compagnie pharmaceutique Pfizer et son fameux Viagra —, il a sillonné le Québec pour disputer des tonnes de matchs avec l'équipe des Légendes du hockey. Guy Lafleur, et les illustres Marcel Dionne, Jean Béliveau, Steve Shutt, Gilbert Perreault, Richard Sévigny, Yvan Cournoyer, Larry Robinson et Yvon Lambert, formaient une équipe toute étoile qui, si elle avait été réunie lors des années de fringante jeunesse de ces joueurs, aurait été une formidable machine à remporter des coupes Stanley.

Ils remportaient généralement haut la main ces parties amicales disputées contre des équipes formées un peu partout au Québec par des joueurs locaux. Mais, la plupart du temps, ces joutes avaient surtout pour but d'amasser des fonds pour des fondations et d'autres œuvres de charité locales. De voir un *Flower* toujours rapide et ingénieux malgré sa quarantaine ou sa cinquantaine bien entamée exécuter des montées à l'emporte-pièce avant d'effectuer une savante passe à un Dionne ou à un Perreault, c'était tout un régal pour la foule, et c'était pour une bonne cause en plus.

Ces matchs lui permettaient de rester proche du public, ce public qui lui a permis de devenir le grand joueur qu'il a été. Depuis son tout jeune âge, chez les Remparts de Québec, Lafleur n'a jamais réussi à bien jouer quand il savait que des dépisteurs et d'autres grands bonzes du hockey se trouvaient dans l'assistance. Mais le bruit assourdissant d'une foule lui réclamant une victoire dans une cause désespérée, malgré toute la pression que ça impliquait, lui donnait des ailes. Et il réussissait généralement à donner au public ce qu'il voulait.

Aucun joueur actuel du Canadien, ni ailleurs dans la ligue, ne peut se targuer d'entretenir une relation si privilégiée avec son public. Même si sa carrière de hockeyeur s'est achevée en 1991. Il faut dire qu'il a continué de cultiver cet amour réciproque à sa retraite. Quiconque lui demande un autographe en aura un. Et Lafleur ne se contentera pas de ramasser le bout de papier ou la casquette qu'on lui tend pour la signer tout en continuant son chemin sans vraiment regarder son admirateur. Il s'arrêtera, échangera quelques mots avec lui et lui témoignera un réel intérêt.

Le collègue Bertrand Raymond, vénérable chroniqueur sportif dont on peut désormais lire les articles sur le site Web RueFrontenac.com, écrivait récemment dans un vibrant plaidoyer en faveur de Lafleur qu'il l'avait déjà vu se présenter à l'hôpital, loin des caméras, pour piquer une jasette avec un mourant ayant exprimé comme dernière volonté de rencontrer cette idole. Une bonne action qui permettait à ces malades de quitter ce monde un peu plus sereinement.

Dans les années qui ont suivi sa deuxième et véritable retraite du hockey, il s'est aussi passionné pour le pilotage d'hélicoptères. Il a ainsi obtenu son brevet de pilote en 1997 et a souvent piloté les modèles BH 407, BH 206 et BH 412 de la compagnie Bell Hélicoptère. Il a même livré des appareils en les pilotant jusqu'au Texas.

Il pilote aussi lors d'événements caritatifs et a même transporté en hélicoptère la fameuse coupe Stanley, sur laquelle il a inscrit son nom à cinq reprises, pour la livrer à la fête du hockeyeur André Roy, qui venait de la gagner avec le Lightning de Tampa Bay en 2004. C'était dans le cadre de l'émission *Hors Jeu* du regretté Paul Buisson. Roy avait profité de ce moment de bonheur pour demander sa fiancée en mariage.

« Il aime ça, ça passe le temps. Quand il pilote, il oublie tout », raconte la mère de la légende, Pierrette Lafleur.

L'hélicoptère a également pour le Démon blond l'énorme avantage de lui permettre de se déplacer rapidement sur de longues distances. Pratique pour satisfaire le plus grand nombre de fans quand on est en demande comme il peut l'être.

« Il était aussi sollicité que la princesse Diana », ajoute Mme Lafleur.

Ainsi il pouvait, entre une ronde de golf d'un tournoi dont il était le président d'honneur à Terrebonne et le souper qui suivait quelques heures plus tard, s'envoler pour aller signer des dizaines d'autographes sur le lieu d'un autre événement de charité à Valleyfield, avant de retourner à Terrebonne par les airs pour le souper, nous raconte l'auteur Yves Saint-Cyr dans son livre intitulé *Guy Lafleur, le dernier des vrais*, paru en 2002. Saint-Cyr – peut-être le plus passionné des fans de Lafleur – racontait dans cet ouvrage son amitié et son admiration pour le hockeyeur qui, selon lui, après Maurice Richard et Jean Béliveau, est le dernier vrai joueur que le Canadien ait compté dans ses rangs. Et il ne voit poindre aucune relève à l'horizon.

Lafleur a toujours été passionné par la conduite. Automobile, moto et bateau.

C'est aussi une passion qui l'a fait vivre dangereusement. Alors qu'il était au sommet de sa gloire dans l'uniforme du tricolore, il dévorait parfois l'asphalte de l'autoroute 20 entre Québec et Montréal, à bord de sa rutilante Ferrari. Chrono : une heure d'un pont à l'autre. Son défunt ami Gilles Villeneuve n'aurait peut-être pas fait plus vite…

Quand il voyageait en avion, le voyage était en soi aussi agréable sinon plus que l'arrivée à destination.

Sa renommée et cette passion du vol lui ont valu d'être nommé en juillet 2005 colonel honoraire du douzième escadron de radar des Forces armées canadiennes, installé à la base militaire de Bagotville, au

Saguenay. Cette unité aérienne est prête à être déployée n'importe où dans le monde avec pour mission la surveillance aérienne et le contrôle aérospatial tactique. Quelques mois plus tôt, Guy Lafleur avait effectué un vol à bord d'un avion de chasse de type CF-18, un moment inoubliable à partir duquel il a conservé un lien avec les pilotes de Bagotville. À ce titre, le Démon blond participe surtout aux activités officielles de l'escadron, comme les défilés.

« Ce sera pour moi une nouvelle aventure. J'ai toujours été près du public. Il sera à la fois très facile et très plaisant de veiller à ce que les relations entre le public et les militaires soient positives », avait déclaré Lafleur après sa nomination.

Fidèle à lui-même, le colonel Lafleur s'est impliqué corps et âme dans son nouveau travail, se rendant même à Bagotville pour y disputer un match de hockey au profit du Musée de la défense aérienne.

Quelques mois après la nomination de Lafleur, un équipage du 437e escadron de la base militaire de Trenton, aux commandes d'un Airbus CC150 Polaris aux couleurs de l'armée canadienne, se préparait à s'envoler de Zagreb, en Croatie, vers l'Afghanistan. C'est de là que partent la plupart des missions canadiennes de ravitaillement des troupes déployées dans les régions éloignées du Moyen-Orient. Vol de routine. Une mission quasiment ennuyante.

Mais cette fois-ci, la cargaison était bien particulière. Il y avait à bord une délégation canadienne fort impressionnante constituée d'athlètes de haut niveau, dont Catriona LeMay Doan et Daniel Igali, deux médaillés olympiques, elle en patinage de vitesse longue piste, lui en lutte. Ils allaient alors rencontrer les troupes canadiennes basées en Afghanistan, afin de les encourager et de les motiver, dans cette guerre au cours de laquelle plusieurs dizaines de soldats canadiens ont perdu la vie. Et ce n'est pas fini.

Quelques instants avant le décollage, le Major Denis Roy a surpris tout son équipage en faisant son entrée dans le poste de pilotage, accompagné du colonel, pilote d'hélicoptère et légendaire ailier droit du Canadien, Guy Lafleur, qui avait demandé à assister au décollage près du pilote. Mais, comme dans ce type d'avion la porte du cockpit se verrouille pour toute la durée du vol aussitôt les moteurs mis en marche, Lafleur y a passé tout le vol vers l'Afghanistan, environ six heures, survolant la Syrie et l'Arabie Saoudite.

Si l'équipage était ébahi par la présence à ses côtés du grand numéro 10 qui a partagé café et lunch avec eux, lui, de son côté, était comme le jeunot en admiration devant ses idoles.

Une expérience afghane qu'il a très vite répétée, s'étant rendu pour une semaine sur la base militaire canadienne de Kandahar, dans la zone la plus dangereuse de ce pays, au début de septembre 2009.

Son amour des hélicoptères et de tout ce qui vole n'a toutefois jamais prévalu sur le hockey, pour lequel il a toujours été d'une implacable fidélité. Il suffit de se rendre à son restaurant et de lire le numéro de plaque d'immatriculation de sa rutilante Mercedes. Ça veut tout dire.

Après des années de déchirement, de dispute et de séparation, il a aussi fini par refaire sa place dans l'organisation du Canadien peu après son déménagement du vieux Forum de la rue Sainte-Catherine vers le Centre Bell, rue de la Gauchetière (qui sera rebaptisée en partie « rue des Canadiens »), vers la fin des années 1990. Pas comme joueur cette fois, mais comme ambassadeur. Un boulot qui consiste à représenter l'équipe lors de diverses activités protocolaires ou de bienfaisance, aux quatre coins de l'Amérique du Nord. Bref, partout où l'on se passionne pour le hockey. Chez les ambassadeurs, il est accompagné des plus illustres retraités du Canadien, Henri « pocket rocket » Richard, Jean « le gros Bill » Béliveau, Yvan « le roadrunner » Cournoyer et Réjean « peanut » Houle. À eux cinq, les ambassadeurs totalisent un impressionnant total de 41 bagues de la coupe Stanley, à titre de joueurs seulement. Lafleur est de loin celui qui utilise le plus son titre pour commenter, flatter, mais surtout critiquer les performances et les décisions du personnel de l'équipe. La presse sportive est unanime à ce sujet. Il dépasse parfois les limites de la franchise, mais il est probablement le seul qui puisse se permettre d'agir ainsi sans perdre son boulot. Trop populaire, trop idolâtré. Même près de 20 ans après son retrait du hockey, il demeure intouchable.

Comme si tout cela ne lui suffisait pas, Lafleur s'est lancé dans une autre aventure au tournant du millénaire en achetant une franchise de la chaîne de restaurants *Mikes*, celle située sur l'avenue Gilles Villeneuve, à Berthierville dans Lanaudière.

Comme c'était le cas lorsqu'il jouait au hockey, Guy Lafleur se donne corps et âme à son nouveau métier. Ainsi, il ne se contente pas simplement d'être propriétaire d'un restaurant, d'y donner son nom et d'y afficher quelques photos et articles autographiés pour attirer et amuser les clients. Après tout, un resto si bien situé, près de l'autoroute 40 où, en plus de la clientèle locale, s'arrêtent des tonnes d'automobilistes et de camionneurs de passage, pourrait presque fonctionner tout seul. Mais ce n'est pas comme ça que pense Guy Lafleur.

Il avait beau demeurer à l'Île-Bizard, dans l'ouest de Montréal, à plus d'une heure et demie de route de là, le grand numéro 10 et son épouse y passaient deux semaines complètes par mois, elle, se concentrant surtout sur la gestion des horaires et la comptabilité, lui, agissant pratiquement comme homme à tout faire. Il s'assure de la satisfaction des clients, donne un coup de balai s'il le faut, sert quelques plats, bref, il est là où sont les besoins.

Le fils aîné du couple, Martin, était gérant de l'établissement. Il a fait des études en hôtellerie et a commencé au bas de l'échelle pour se familiariser avec son métier. Il a été hôte, plongeur, serveur, avant de prendre les commandes. Ce restaurant, en plus d'être pour le Démon blond un énième gagne-pain, était surtout un legs à ses enfants, un cadeau devant leur permettre de ne jamais manquer d'argent ni de travail.

Pour éviter de faire chaque jour le long trajet et les bouchons de circulation entre la maison et Berthierville, le couple Lafleur avait fait aménager, dans l'hôtel *Days Inn*, juste en face de son restaurant, une suite qu'ils habitaient les deux semaines du mois pendant lesquelles ils travaillaient au restaurant, composée d'une petite cuisine, d'une salle à manger et d'une chambre. Ils ont aussi pris soin de réserver une autre chambre, adjacente à leur suite, pour les journées où leur plus jeune fils, Mark, passait à Berthierville.

Hélas, il était beaucoup moins sérieux et impliqué dans les affaires familiales des Lafleur que son frère aîné. Les deux garçons sont aux antipodes l'un de l'autre. Les Lafleur auraient pourtant bien aimé que Mark travaille avec eux, et ils n'ont pas manqué de lui donner de nombreuses chances.

Le jeune Mark est né le 20 décembre 1984. Lorsque son père a remis sa spectaculaire démission du Canadien en novembre de cette même année, prenant une première retraite quasiment forcée par les manœuvres de l'entraîneur Jacques Lemaire et du directeur-gérant Serge Savard, Lise Barré-Lafleur était sur le point d'accoucher de ce deuxième garçon. Sans doute croyaient-ils qu'une fois Guy peinard à la maison, sans les contraintes et les innombrables voyages qui sont le lot de tout athlète professionnel, ils pourraient se consacrer tranquillement à leur petite famille. Martin avait déjà neuf ans, et ce poupon qui s'apprêtait à naître annonçait, après les dernières années de misère vécues par le Démon blond des moments fort heureux.

Et ce fut le cas, jusqu'à ce qu'ils se rendent compte que le poupon allait leur occasionner beaucoup plus de travail et de souci que ce qu'ils avaient escompté.

Mark, dont les parents avaient choisi que le nom s'écrirait avec un K plutôt qu'avec un C, en guise de clin d'œil à la monnaie allemande qui était alors très forte, s'est révélé, dès son tout jeune âge, bien différent des autres petits garçons.

Il n'était pas mal intentionné ni méchant, mais disons qu'il était très, peut-être trop, énergique. Sa grand-mère, Pierrette Lafleur, le gardait souvent et l'adorait, même « s'il était bruyant, qu'il bougeait tout le temps, et qu'il était parfois dur à garder. Il avait beaucoup d'énergie comparé à son grand frère Martin qui était si tranquille ».

Il déplaçait à lui seul plus d'air que « son » Guy et ses quatre sœurs réunis.

Mais la grand-maman se souvient aussi du petit Mark nerveux avec lequel, le soir venu, elle devait rester jusqu'à ce qu'il dorme, pour le rassurer. Ce petit garçon si poli, qui ne manquait pas chaque fois qu'elle lui servait un bon repas ou le gâtait un peu, de lui dire « merci grand-maman, je t'aime grand-maman ».

Dès que Mark a atteint l'âge de deux ans, la vie a été pour ses parents une continuelle quête pour comprendre de quoi il souffrait. Ils ont passé des heures et des jours dans les hôpitaux. La réponse est arrivée plus tard.

Alors que, pour la plupart des enfants, la première rentrée scolaire, à la maternelle dès l'âge de cinq ou six ans, représente le moment le plus heureux de leur jeune vie, pour Mark, ce fut tout le contraire.

Surexcité, il dérangeait sans cesse toute la classe. À un point tel que, déjà si jeune, il s'est fait mettre à la porte de sa première école, puis de la deuxième, toujours pendant sa seule année de maternelle. Cela devait être d'autant plus angoissant pour les parents que ça survenait à l'époque où Guy Lafleur effectuait un retour au jeu, qui dura trois ans, de 1988 à 1991 avec les Rangers de New York, puis avec les Nordiques de Québec. Son mari étant sur la route plusieurs semaines par an, ultra-sollicité par les commanditaires, par les fans et par les médias, comme il l'a été tout au long de sa vie. Lise était souvent seule pour gérer ces problèmes.

Bientôt, on diagnostiqua à Mark un trouble du déficit de l'attention et d'hyperactivité (TDAH). On le mit sous ritalin. Mais cela n'aida pas réellement l'enfant, qui continuait d'être constamment renvoyé des écoles où on l'inscrivait. Trop turbulent, trop dérangeant, disait-on aux Lafleur.

Ainsi, avant même d'atteindre sa neuvième année, il faisait ses études dans le réseau scolaire anglophone, changeant d'école à au moins 13 reprises.

« Il se faisait mettre à la porte parce qu'ils (les directeurs d'écoles) trouvaient qu'ils n'avaient pas les moyens nécessaires pour l'aider, parce qu'il était très actif, dérangeait tout le monde, ils le mettaient à la porte au lieu de l'aider. On s'est retourné et on a regardé les écoles privées qui ont de petites classes, sept ou huit élèves par classe, pour l'aider à mieux se concentrer. Mais ça ne faisait pas l'affaire non plus », a déploré Guy Lafleur, témoignant le 8 mars 2007 devant le juge Robert Sansfaçon, lors d'un des passages en cour du Québec de Mark.

Ses parents ont tout tenté pour lui trouver une école adaptée à ses besoins. Ils ont fait le tour des commissions scolaires. Mark a même été renvoyé d'écoles spécialisées en troubles de comportement. On disait alors aux parents qu'il faisait partie de ce très petit pourcentage d'enfants pour qui il n'y a pas grand-chose à faire. Une démission du système scolaire contre laquelle Guy Lafleur peste encore aujourd'hui.

Ces innombrables échecs ont grandement fragilisé le jeune garçon dont l'estime de soi était bien basse.

« Il m'est arrivé une journée et m'a dit qu'il était un rejet de la société. Une réaction normale si on se fait mettre dehors partout où on passe », a relaté Guy Lafleur au cours de ce même témoignage.

Quand il était enfant, dans les années 1950 et 1960, dans son village natal de Thurso en Outaouais, le jeune Guy Lafleur était lui aussi débordant d'énergie. Mais sa passion du hockey et son entêtement à s'entraîner constamment le calmaient. Chaque geste ou presque qu'il posait dans sa vie était pensé en fonction de sa passion et de l'amélioration de ses performances dans son sport. Ainsi, quand il réparait la glace ou aiguisait des patins à l'aréna municipal de Thurso – qui porte aujourd'hui son nom – c'était en échange de temps de glace au cours duquel il pouvait patiner pendant des heures. Quand il aidait le laitier du coin, c'était pour porter des caisses de lait et se faire des bras. Même chose quand il travaillait à la ferme d'un cultivateur thursois, et quand il cassait des cailloux sur le chantier d'un pipeline liant Ottawa et Montréal. Le soir, il rentrait chez lui heureux et claqué.

Pour Mark, c'était une autre histoire.

Vers l'âge de huit ou neuf ans, on lui a diagnostiqué le syndrome de Gilles de la Tourette.

Ce syndrome est une maladie neurologique dont l'origine est toujours inconnue, mais qu'on soupçonne d'être transmise génétiquement. Celle-ci touche surtout les garçons que les gens reconnaissent par de violents tics moteurs et vocaux. Y sont souvent associés le déficit de l'attention et de l'hyperactivité, qui avait été diagnostiqué chez Mark à son entrée à l'école, mais aussi des troubles d'apprentissage, des troubles oppositionnels et des crises de panique et de rage.

Dans ces derniers cas, les personnes atteintes peuvent aller jusqu'à détruire des objets sans raison valable, pour tout oublier quelques instants plus tard. Elles peuvent aussi avoir du mal à dormir, désobéir systématiquement aux règles qui sont imposées à la maison ou à l'école, et souffrir de troubles anxieux.

Plus que les tics moteurs ou sonores, ces troubles comportementaux sont d'ailleurs l'essentiel des symptômes du syndrome qu'a développé Mark Lafleur. Si la médication peut atténuer les symptômes de cette maladie, elle ne peut la guérir.

Mark s'est ainsi retrouvé à prendre quatre différents médicaments chaque jour pour traiter ses divers problèmes.

« Il prenait le Ritalin^MD pour l'apaiser et l'aider à mieux se concentrer, Haldol^MD et un autre médicament dont j'oublie le nom et qui était pour l'aider à dormir le soir, et le Kémadrin^MD, je crois. À neuf et dix ans, il était comme un zombie. Il jouait au hockey et au soccer, il avait du talent, mais énormément de difficulté à se concentrer, il était toujours fatigué. Tu sais, quant tu as les yeux cernés à huit ou neuf ans, c'est pas bien bon », se remémore-t-il péniblement.

Exit donc, le rêve de devenir un grand joueur de hockey. Et ce, même s'il semblait avoir hérité du sens du jeu et du fabuleux coup de patin de son légendaire paternel. Un des rares points sur lesquels Mark pouvait se targuer d'être supérieur à son frère aîné qui a réussi dans presque tous ses projets. Ça l'a humilié et a décuplé sa colère.

Quand Guy a pris sa retraite définitive du hockey, en 1991, et qu'il a repris du service avec l'équipe des Légendes ou comme président d'honneur de tel tournoi de golf ou de telle œuvre de charité, il a maintes fois emmené le jeune Mark, souvent même à bord de l'hélicoptère qu'il pilotait, question de lui changer les idées, de passer du bon temps avec lui et de lui faire rencontrer toutes sortes de gens.

Quand il ne pouvait pas l'emmener, il lui téléphonait, tous les jours, parfois plusieurs fois dans une journée, pour savoir comment il allait.

À cette époque, c'est surtout lui qui réussissait à capter l'attention du turbulent Mark.

« Guy a été très présent avec Mark étant donné qu'il avait de grandes difficultés. Je pense que Guy pouvait comprendre Mark plus que moi », a raconté Lise Barré-Lafleur, dans la seule entrevue qu'elle ait donnée depuis les événements, dans le documentaire *Il était une fois Guy Lafleur*.

« Quand ton enfant a de graves problèmes, et ce, depuis la naissance, c'est très très difficile. Il n'y a pas beaucoup d'aide pour ces enfants-là, et tu dépenses énormément d'énergie. Avec le temps, tu abandonnes tellement tu es démuni et que tu ne sais pas quoi faire. Guy est toujours resté près de Mark. Moi, je me suis éloignée à un moment donné, c'était trop difficile », ajoute la mère, visiblement remuée de parler de cette histoire qui l'a si durement affectée.

Mark était une source constante d'inquiétude pour ses parents. Il les menaçait parfois même de mort. Si cela les terrifiait, surtout sa mère, ils savaient bien que ces menaces ne reflétaient pas le fond de sa pensée. Que ces paroles étaient tout à fait involontaires. Lise et Guy Lafleur ont fait suivre leur enfant par de nombreux spécialistes en santé mentale, à l'hôpital Sainte-Justine, puis à celui de Sherbrooke. Il a même été interné quelques mois au pavillon Albert-Prévost, le centre de psychiatrie associé à l'hôpital du Sacré-Cœur à Montréal.

« À partir de l'âge de deux ans, sa femme Lise a fait le tour des hôpitaux et des spécialistes pour Mark. Elle a une pile de dossiers médicaux qui fait deux pieds d'épaisseur », indiquait récemment l'avocat et ami de la famille, Me Jean-Pierre Rancourt.

Puisque les médicaments ont échoué à faire rentrer la situation dans l'ordre, les Lafleur ont fait une ultime tentative alors que Mark avait 16 ans. Finies les pilules, on allait tenter de canaliser son énergie en lui imposant un régime de vie dur et éreintant.

Un peu comme ce que Guy s'imposait à lui-même dans sa jeunesse.

Les Lafleur ont donc inscrit leur plus jeune à *Robert Land Academy*, un collège militaire privé ontarien dédié aux jeunes souffrant de différents troubles du comportement, dont l'hyperactivité. Dans cette école, on tente de remettre sur les rails des étudiants à la vie chaotique en leur inculquant l'importance de l'acceptation de soi, en les responsabilisant et en leur imposant le travail d'équipe. On se vante, à cette école, d'avoir un taux de réussite si élevé, qu'en 2008, tous ses finissants ont été acceptés dans des universités.

Mark y a passé deux années difficiles et y a mené une vie spartiate.

« Il s'entraînait très dur et il dépensait beaucoup d'énergie. Il a été très très actif là-bas, ça l'a aidé énormément. Même s'il a eu beaucoup de difficulté à rester là », observe le père de Mark.

C'est donc rempli d'espoir que le numéro 10 a vu son fils revenir au Québec en 2003 à l'âge de 18 ans. Fort de cette expérience d'une vie à la dure, Mark devait rentrer dans le rang, devenir un jeune homme sérieux et mener une vie normale. Enfin. C'est du moins ce que croyaient Lise et Guy Lafleur.

Malheureusement, quelques mois plus tard, Mark et une copine ont dû être hospitalisés à l'hôpital de Joliette à cause d'une surdose de drogue. Guy Lafleur dit ne jamais avoir su quelle substance ils avaient consommée pour se retrouver en si piteux état.

Le père de famille savait bien que Mark fumait un joint de temps en temps, sous prétexte que l'herbe le relaxait. Connaissant la condition de son fils, il le tolérait. Il disait même préférer cela à le voir prendre des dizaines de pilules. Mais là, assurément, c'était une drogue beaucoup plus dure qu'il avait consommée.

Le Démon blond s'est retrouvé dans un monde effrayant, lui qui, au même âge que Mark, était droit comme un piquet. Le jeune homme que tout parent aurait voulu avoir. Celui que toute maman aurait rêvé de voir au bras de sa fille. En pleine période hippie, Guy Lafleur ne buvait pas, ne fumait pas, ne courait pas après les filles. Il était toujours tiré à quatre épingles, résistait au port du jeans et ne portait pas les cheveux longs pourtant à la mode à l'époque. Du moins pas aussi longs que la mode le voulait. Il était un jeune homme modèle, conformiste, tout au contraire de plusieurs autres joueurs qui profitaient de leur notoriété naissante pour se permettre tous les excès. Même quand le Démon blond, dans ses dernières années catastrophiques avec le Canadien, s'est rebellé contre cette image angélique qu'on avait de lui et qu'il s'est mis à sortir et à faire la fête dans les restaurants et les discothèques les plus branchés de Montréal, à boire et à rentrer chez lui aux petites heures, il n'est jamais allé jusqu'à toucher à la drogue. Du moins, c'est ce qu'il affirmait lorsque des rumeurs ont commencé à circuler sur son mode de vie débridé. Et surtout, ses excès ne l'ont jamais empêché d'être le premier sur la patinoire à l'entraînement du lendemain et d'y patiner avec une impressionnante vigueur.

C'est ainsi qu'il a convaincu son fils de subir une thérapie à la maison Portage, question d'éradiquer cette dépendance naissante à la drogue.

C'était en 2004, le hockeyeur ne se souvient plus de la date exacte. Ce dont il se souvient toutefois, c'est qu'il a déposé son fils à la maison de thérapie le matin et, que le soir même, le téléphone sonnait dans la suite de Berthierville.

« Papa, viens me chercher, je ne serai pas capable, l'a supplié Mark.

Non! L'entente c'est que tu restes là un mois de temps. Je n'irai pas te chercher », a rétorqué le paternel.

Ce sont des parents désemparés qui ont vu leur fils rentrer chez eux, quelques heures plus tard. Il avait fui Portage et avait regagné Berthierville en faisant de l'auto-stop.

On était revenu à la case départ.

4

Un dangereux coup de foudre

Cassandra[1] avait 14 ans. C'était une pure beauté à la peau toujours bronzée, aux ongles impeccablement manucures. Une adolescente frêle et toujours vêtue à la dernière mode, à la manière des starlettes que l'on voit dans les vidéoclips. Mais Cassandra était aussi une jeune fille troublée, qui vivait des problèmes familiaux et qui s'éclipsait plus souvent qu'à son tour des écoles qu'elle fréquentait.

À l'été 2004, elle fréquentait un jeune homme prénommé Dany. Le 14 août, Dany la présente à un de ses amis, Mark Lafleur, fils de l'ex-super vedette du Canadien de Montréal. Cette soirée-là, Cassandra a longuement discuté avec Mark, qui lui, avait déjà 19 ans. Instantanément, une chimie s'est installée entre les deux. Elle l'a trouvé charmeur et attentionné. Elle n'avait jamais été ainsi subjuguée par un garçon.

Plus tard, il lui offrait de la reconduire chez elle, ce qu'elle accepta avec plaisir. Mais, chemin faisant, il lui fit une autre offre : passer avec lui la nuit à Berthierville, dans la chambre adjacente à la suite de ses parents à l'hôtel Days Inn.

Ce qu'elle accepta aussitôt.

Sans plus d'émotion, elle reléguait Dany aux oublicttcs.

« J'étais furieusement amoureuse. Ce gars m'aimait, les choses étaient parfaites. C'était un rêve devenu réalité. Enfin un gars qui m'attirait et me traitait bien. J'étais heureuse. » Ainsi a-t-elle décrit le début de leur relation, dans un de ses témoignages à la Cour.

1. Le prénom a été modifié

Au début, Cassandra continuait à aller à l'école, et, la plupart du temps, elle passait les fins de semaine avec Mark à Berthierville.

« À la fin de 2004, Mark l'a emmenée au restaurant *Mikes* de Berthier. Elle venait souvent coucher à l'hôtel où on demeurait quand on était à Berthier, s'est remémorée Lise Barré-Lafleur lors du procès de son fils. Nous avions une bonne relation, c'était une jeune fille timide avec moi, on ne se voyait pas souvent. Elle a toujours été très correcte avec moi », a-t-elle pris soin de préciser.

Dans son témoignage, Cassandra dit qu'au fil du temps, elle s'est pratiquement mise à vivre en permanence au Days Inn. Elle séchait ses cours à l'école secondaire et fumait de la marijuana ou consommait des comprimés d'ecstasy avec Mark. Au début, elle était plutôt réticente à gober ces petites pilules.

« Je ne te ferais jamais prendre quelque chose qui pourrait te faire du mal », lui disait-il.

Il lui disait qu'elle n'avait pas besoin d'aller à l'école. Elle qui voulait devenir designer de mode ou mannequin. Il lui affirmait de ne pas s'en faire avec son futur, qu'elle aurait toujours du travail au restaurant de ses parents et qu'elle ne manquerait jamais de rien. Mark se montrait alors attentionné et lui promettait les plus belles choses. Il conduisait une belle voiture. Se décrivant comme très jeune et influençable, elle était étourdie par ce luxe et ces attentions. Elle était en amour.

La nouvelle vie de leur fille a toutefois tôt fait d'éveiller inquiétude et suspicion chez les parents de Cassandra. Ils ont fini par découvrir que, depuis qu'elle fréquentait Mark, elle consommait de la drogue et n'allait plus à l'école. Et ils ne la voyaient pratiquement plus, car elle était presque toujours avec son amoureux. Ils ont alors tenté de la forcer à ne plus voir Mark.

Un travailleur social s'en est mêlé et, avec les parents de l'adolescente, ils se sont rendus au tribunal, à la Chambre de la protection de la jeunesse, où un juge a rendu une ordonnance interdisant tout contact entre Cassandra et Mark.

Mais les parents de Cassandra n'ont pu savourer leur victoire bien longtemps, car ils se sont vite rendu compte que leur petite n'avait rien à faire de l'ordonnance de la Cour, pas plus que Mark Lafleur d'ailleurs.

Il n'avait pas fallu longtemps avant qu'elle retourne à Berthierville.

Quand elle disparaissait, ses parents appelaient les policiers qui allaient cogner à la porte de la suite des Lafleur. Cassandra se souvient être allée jusqu'à se cacher derrière le frigo pour ne pas être trouvée par les agents. Mais, à quelques reprises, elle a bien dû se résigner à être reconduite chez elle par la police.

Cela a fini par créer une situation explosive entre le jeune Lafleur et les parents de sa bien-aimée. Les parents étaient furieux de le voir venir chercher leur fille chaque fois qu'ils réussissaient à remettre le grappin sur elle.

Le 26 décembre 2004, cette animosité a dégénéré quand le père de Cassandra, qui cherchait sa fille disparue depuis une heure au volant de sa voiture, a aperçu le camion de Mark Lafleur stationné en bordure de la rue de l'Église à l'Île-Bizard. Voyant que sa fille était dans le véhicule avec Mark, il a brusquement effectué un virage à 180 degrés pour précipiter sa voiture devant celle du jeune homme. Comme la chaussée était glissante et qu'il était hors de lui, il n'a pu arrêter son auto à temps et a foncé sur le camion de Mark.

Celui-ci est sorti en furie de son Jeep Liberty, a sauté par-dessus les capots des deux camionnettes pour bondir sur le père de Cassandra qui est tombé au sol, entraînant Mark dans sa chute. Difficile de savoir si Mark a frappé l'homme ou non. Celui-ci, lors du procès qu'a subi Mark à la Cour municipale de Montréal en mars 2008 relativement à cet incident, a dit avoir été frappé entre dix et quinze fois à la tête et au thorax. Mark, lui, dans son témoignage, dit n'avoir pu donner un seul coup parce que Cassandra aurait réussi à l'arrêter en lui assénant un coup de pied. Son père et elle ont ensuite pris la poudre d'escampette, mais, avant même qu'ils ne gagnent leur maison, Mark y a téléphoné. C'est la mère de l'adolescente, Rosie[2] qui a pris l'appel.

« Il criait à tue-tête, disait qu'il venait de se faire rentrer dedans par le père de Cassandra et qu'il avait pour 1 200 $ de dommages sur sa voiture, et qu'il allait la tuer elle et son mari », a témoigné la sergente-détective Josée Gagnon, de la police de Montréal, durant la première enquête sur la remise en liberté de Mark Lafleur le 8 mars 2007.

Cet épisode a valu au jeune Lafleur des accusations de voies de fait et de menaces de mort devant la Cour municipale de Montréal. À son procès, il a plaidé coupable des menaces envers la mère de Cassandra. Quant à la bagarre avec le père, il dit avoir agi en légitime défense.

« Son père est arrivé en fou avec sa camionnette. Il est passé à côté de mon camion, a fait un virage à 180 degrés dans le stationnement et a foncé sur moi », avait témoigné Mark Lafleur, alors détenu.

Guy Lafleur était présent dans la salle d'audience quasi déserte ce jour-là. Et aussi, quelques jours plus tard, quand son fils fut acquitté des voies de fait, mais condamné à une amende de 500 $ pour les menaces de mort contre Rosie.

Une nouvelle altercation est encore survenue trois semaines plus tard entre les deux hommes.

Cassandra était alors placée dans un foyer de groupe par la Direction de la protection de la jeunesse. En allant la visiter, son père a aperçu Mark qui quittait les lieux dans son camion, avec Cassandra à bord. Enragé de voir encore ce trouble-fête mettre la main sur sa fille, il a décidé de le prendre en chasse. N'arrivant pas à semer son poursuivant, Mark s'est arrêté et a caché l'adolescente dans une ruelle où son père n'arriverait pas à la rattraper. Celui-ci est retourné au foyer de groupe. Il tomba sur Mark, qui attendait sa fille.

« *I'm going to kill you, fucker* », lui aurait alors balancé le jeune homme, toujours selon la sergente-détective Gagnon.

2. Le prénom a été modifié

Les parents de Mark savaient bien à cette époque que la relation entre leur fils et sa copine était problématique.

Bien qu'elle savait qu'il était interdit à Mark et à Cassandra de se rencontrer, Lise Barré-Lafleur a dû admettre au procès de son fils qu'elle n'a jamais appelé ni la Direction de la protection de la jeunesse ni la police pour les dénoncer lorsqu'ils se retrouvaient ensemble.

« On a essayé de les séparer. On disait à Cassandra qu'elle n'avait pas le choix de retourner chez elle, et on a demandé à Mark d'aller la reconduire chez ses parents. Elle m'a alors fait écouter une conversation téléphonique qu'elle a eue avec ses parents, et ça disait qu'elle devait être placée en *lock up* (centre fermé de la DPJ) pour un an. Quand j'ai convaincu Cassandra qu'elle n'avait pas le choix de respecter la volonté de ses parents, Mark l'a conduite chez elle. Mais elle était de retour 48 heures plus tard. Je me suis alors demandé si c'était vraiment sérieux cette volonté de les séparer », a-t-elle exposé devant le juge Serge Boisvert. Elle a même eu des rencontres avec le travailleur social de Cassandra, qui en avait assez de courir après elle.

En mars 2005, Mark a eu la chance de dénicher un bon boulot, gracieuseté d'un ami de son père, Eugène Arsenault, un des dirigeants locaux de la firme Ganotec, qui se spécialise dans la construction et la rénovation de raffineries de pétrole. À l'époque, son entreprise travaillait du côté de la raffinerie Pétro-Canada de Montréal-Est.

Pour un salaire fort respectable d'environ 22 $ l'heure, Mark bénéficiait ainsi d'une chance en or de se prouver et de prouver à sa famille, à qui il en a fait baver depuis des années, qu'il pouvait retourner dans le droit chemin. Son travail consistait essentiellement à faire l'entretien des chantiers opérés par la compagnie.

Heureux d'enfin voir son fils progresser, Guy Lafleur lui louait une chambre dans un motel, rue Sherbrooke Est dans le quartier Pointe-aux-Trembles. Ce n'est pas l'endroit où l'on rêve de voir son enfant habiter, mais cela avait l'avantage de se trouver à quelques centaines de mètres du lieu de travail de Mark, qui avait perdu son permis de conduire et devait se déplacer en vélo. Et cela devait être temporaire.

Il était ainsi entendu que le paternel continuerait d'aider son fils et de subvenir à la plupart de ses besoins tant et aussi longtemps que celui-ci ferait des efforts pour se rendre assidument au travail.

Mais, encore une fois, le jeune homme a failli à sa promesse.

Dans les derniers jours de 2004, Cassandra a été placée une énième fois dans un foyer de groupe. On ne sait trop pourquoi, mais cette fois elle s'est montrée plus réceptive aux conseils et aux enseignements de ses travailleurs sociaux. Les intervenants de la résidence étaient satisfaits de ses progrès. Et, conséquemment, ils ont fini par la laisser retourner chez elle en mars 2005. Cela n'aura pris que trois jours avant qu'elle se retrouve sous la couette de Mark Lafleur.

En s'apercevant que leur fille avait disparu, les parents de Cassandra n'ont pas mis longtemps à comprendre ce qui s'était passé, et ils ont appelé Mark sur son téléphone portable.

« Nous savons que notre fille est avec toi, et nous avons appelé la police, ils sont à sa recherche », a lancé Rosie à Mark.

Cassandra a décidé que c'était assez, que cette fois elle ne rentrerait pas chez elle.

« Que j'y retourne moi-même ou que la police me retrouve, le résultat sera le même, je serai renvoyée au foyer de groupe. Donc, je reste », s'est-elle dit.

5
Le concubinage

C'est donc en mars 2005 que Cassandra a rejoint Mark au motel de la rue Sherbrooke, malgré l'interdiction de contact entre les deux, et malgré la désapprobation formelle de ses parents.

Au début, tout se passait relativement bien. Mark allait travailler chaque jour et il était heureux.

« C'est un bon travail, ça me met en forme », lançait-il à sa copine quand il rentrait du boulot. Mais, pour elle, c'était loin d'être aussi drôle. Toute la journée, Cassandra restait dans la chambre. Elle n'osait trop sortir, car elle ne voulait pas qu'on la remarque et que la police vienne la séparer de Mark. Ses journées étaient d'une grande monotonie et se résumaient à attendre Mark dans la chambre et à lui parler au téléphone. Parfois, elle discutait avec la femme de chambre.

« Guy venait parfois pour voir si tout allait bien, pour s'assurer que je ne manque de rien. Il nous emmenait parfois manger au St-Hubert juste en face », a dit Cassandra dans son témoignage au procès de Mark.

Mais, de son point de vue, tout cela était bien mieux que le foyer de groupe où l'avait placée la Direction de la protection de la jeunesse.

Ce concubinage était loin de plaire à Lise Barré-Lafleur.

« J'ai eu une entente avec Cassandra. Je n'aimais pas qu'elle habite là-bas, mais elle m'a répondu que c'était pour un court moment, que ses parents allaient se séparer et qu'elle allait aller vivre avec sa mère après », a relaté la mère de famille au procès en juin 2008.

Mais, bien loin de partir, Cassandra s'est accrochée, et, petit à petit, Mark a délaissé son travail, se disant trop fatigué le matin pour se lever tôt et se présenter à l'heure à la raffinerie.

« Il a arrêté d'aller travailler parce qu'il m'accusait de quitter le motel pendant la journée. S'il avait le malheur de téléphoner quand j'étais sous la douche, et que je ne répondais pas, il rappliquait tout de suite. Parfois, il frappait à la porte en criant : «Pourquoi tu ne réponds pas quand j'appelle !» Et il voyait bien que j'étais encore mouillée et enroulée dans ma serviette, comme quelqu'un qui sort de la douche », a raconté Cassandra dans son témoignage à l'enquête préliminaire de Mark le 12 mars 2008.

Pendant cette cohabitation, le couple consommait alcool, marijuana et ecstasy, ne faisant rien d'autre que rester enfermé dans la chambre. Pendant six mois, de mars à août 2005, Cassandra n'a pas donné le moindre signe de vie à ses parents.

Ceux-ci étaient morts de peur. Ils ne savaient pas où elle vivait, si elle était encore au Québec. Ils n'avaient aucune idée de son état de santé ni du traitement que réservait à leur fille le bouillant Mark. Pendant six mois, ses parents ont souffert d'insomnie chronique. Ils ont cherché, cherché, partout. Ils ont ratissé les cours d'écoles de l'ouest de Montréal, les stationnements. Ils ont fait le tour des amis de leur fille via le site Web de réseautage en ligne MSN, ils ont fait des dépositions à la police. En vain.

Les Lafleur, eux, savaient que Cassandra demeurait avec leur fils. Ils ne savaient toutefois pas, disent-ils, que Cassandra ne donnait aucun signe de vie à ses parents qui la cherchaient désespérément. Ils savaient aussi que Mark avait, à toute fin pratique, abandonné son travail, brisant ainsi l'entente financière qu'il avait avec ses parents tant qu'il serait assidu chez Ganotec.

Mais, toujours pour la même raison, ils n'alertaient pas la police pour les dénoncer. Pour eux, l'ordre ne semblait rien de plus qu'un coup d'épée dans l'eau puisque chaque fois qu'on les séparait, Cassandra revenait au galop vers Mark avec une facilité déconcertante. Qui plus est, ils croyaient toujours cette histoire selon laquelle elle demeurait avec Mark le temps que ses parents règlent leur divorce, et qu'ensuite elle irait vivre avec sa mère.

Cassandra a tout de même fini par appeler ses parents au mois d'août.

Mark et elle venaient d'avoir une violente dispute, qui avait failli tourner en bagarre parce qu'elle lui reprochait d'être de moins en moins présent. Comme elle s'ennuyait enfermée dans la chambre, elle souhaitait l'avoir plus souvent auprès d'elle.

« Alors je ne veux plus te voir », lui aurait-il rétorqué froidement.

Elle a alors appelé sa mère, qui est venue la chercher. La mère de Cassandra qui venait de passer les six plus longs mois de sa vie, était folle de joie, mais aussi d'inquiétude.

« Elle était devenue une fille très différente. Comme une étrangère. Ce n'était plus mon bébé, elle semblait ne plus me faire confiance », a sangloté la mère dans son récit livré au procès de Mark, à l'été 2008.

Elle a ainsi repris contact avec ses parents, qui ont convenu de rencontrer le travailleur social avec elle. Ils ont juré de tout faire pour éviter qu'elle ne retourne en foyer de groupe, mais, de son côté, elle devait promettre de ne plus retourner avec Mark.

Sauf que, tout au long de ses rencontres avec le travailleur social, Cassandra n'avait qu'une idée en tête : revoir Mark, avec qui elle gardait le contact, au grand dam de ses parents.

Elle allait éventuellement profiter de l'absence de ses parents à la maison, son père étant au chevet d'un de ses amis mourant, pour s'enfuir à nouveau et retrouver Mark.

Ignorant tout du drame qui se jouait dans la résidence des parents de Cassandra, qui se trouve également sur l'Île-Bizard, Guy Lafleur était plutôt mécontent que son fils ait abandonné son boulot chez Ganotec.

« Il a dû travailler là un mois, et encore ! Quand il travaillait, ils s'appelaient, lui et Cassandra. Elle était seule à la chambre et elle s'ennuyait, elle voulait qu'il revienne. Il a arrêté de travailler », a dit le père de famille, toujours dans ce témoignage du 8 mars 2007.

Il a ainsi passé l'éponge et a continué malgré tout de subvenir aux besoins de son fils, et conséquemment, à ceux de Cassandra.

« On a toujours supporté Mark, on veut son bien, l'aider au max. Pour moi, c'est important de continuer à aider son fils », se disait Lafleur.

C'est pour cette raison qu'il a décidé de lui trouver une vraie résidence, un condo, cette fois, toujours dans le même secteur. Il le trouva en août 2005. Il espérait que ce petit condo au rez-de-chaussée d'un immeuble récent situé rue Sherbrooke, à un jet de pierre du motel, occuperait Mark et le rendrait plus sérieux, comme celui-ci le lui avait promis.

« On lui cherchait un endroit parce que les médecins m'avaient dit, qu'en vivant seul, il deviendrait plus autonome et, qu'en prenant soin de lui-même, il allait devenir plus mature. C'est pour ça qu'on a acheté un condo là. Il avait perdu ses licences (permis de conduire), et c'est pour ça qu'on a choisi Pointe-aux-Trembles, où il avait accès aux centres d'achats, et, comme il travaillait pour Ganotec, en bicyclette ça lui prenait 10 minutes pour aller travailler », a expliqué Guy Lafleur lors de son premier témoignage devant le juge Robert Sansfaçon, le 8 mars 2007.

Et, encore une fois, Mark a repris son boulot chez Ganotec. Pour combien de temps ? se demandaient les Lafleur.

Ce déménagement dans le condo a été pour les parents de Cassandra l'objet d'innombrables et traumatisants débats, car ils ont dû faire un choix déchirant entre la peur, la méfiance et la haine que Mark leur inspirait, et la perspective de voir encore une fois leur fille disparaître complètement de leur vie sans donner de nouvelles, comme elle venait de le faire pendant six mois. C'est ce dont elle les avait menacés s'ils ne la laissaient pas s'installer avec Mark. Ils ont fini par plier et ont entamé des démarches pour faire tomber l'interdiction de contact entre les deux. C'était aller à l'encontre de leurs principes, mais c'était le prix à payer pour continuer à voir leur fille. Pendant encore quelques mois, Cassandra et ses parents ne se sont pratiquement pas vus. Ils s'appelaient toutefois presque chaque jour, les parents, continuellement inquiets, voulant prendre des nouvelles de leur fille. Jusqu'à ce qu'un premier pas bien timide se fasse en décembre 2005. Les parents ont finalement accepté à reculons de visiter le condo où vivait leur fille avec Mark. Ils craignaient de la voir disparaître une fois de plus s'ils s'opposaient trop farouchement à sa liaison avec Mark.

Du côté des Lafleur, ce n'était pas non plus le bonheur. Quand Lise s'est aperçue que Cassandra déménageait dans le condo de la rue Sherbrooke avec son fils, elle s'est sentie roulée par la petite, qui lui avait promis des mois plus tôt qu'elle ne demeurerait avec Mark que le temps que ses parents règlent leurs différends familiaux.

La mère de Mark a alors lancé un ultimatum à Cassandra.

« Tu ne peux pas rester au condo si tu ne veux pas aller à l'école ou si tu ne travailles pas », lui a-t-elle lancé.

Mais, Cassandra n'a pas fait ou n'a pu faire grand-chose.

« Je n'avais pas vraiment plus d'activités que lorsque nous étions au motel. Sauf que c'était notre place. Je lui ai dit que je voulais retourner à l'école. On a cherché une école. Il m'a même dit qu'il y retournerait avec moi. Mais, à part ça, j'étais toujours au condo, à faire le ménage. Quand il revenait du travail, je lui avais préparé un goûter. S'il voulait prendre un bain, je lui en faisais couler un. Donc, je ne faisais pas grand-chose, sauf l'attendre et prendre soin de lui », a-t-elle relaté dans son témoignage lors de l'enquête préliminaire.

Même s'il n'était pas ponctuel au travail, Mark s'est montré cette fois un peu plus persévérant. Cassandra estime qu'il a travaillé chez Ganotec pendant quelques mois.

Selon elle, Guy Lafleur avait encore une fois clairement indiqué à son fils en lui achetant son condo que, s'il n'était pas sérieux au travail, il lui reprendrait son logis.

Mais, une fois de plus, Mark a brisé l'entente. Et son père ne lui a pas repris le condo. Les parents Lafleur ont plutôt offert une autre chance aux tourtereaux. Lise Barré-Lafleur leur a fait une offre difficile à refuser. Elle leur a proposé de travailler pour eux au *Mikes* de Berthierville.

Enfin, ça bougeait ! Le jeune couple faisait enfin quelque chose de sa vie.

Elle, mignonne et souriante, faisait la plus invitante des hôtesses pour les clients qui entraient au restaurant.

Lui se servait plutôt de ses bras, travaillant essentiellement à débarrasser les tables et les remettre en place, *boss boy*, comme on appelle ça dans le milieu de la restauration. Il était lui aussi parfois hôte.

Pour une rare fois, toute la famille Lafleur était réunie dans un but commun.

Mais hélas, comme chaque fois que Mark faisait un pas en avant, il en faisait rapidement deux en arrière.

C'est surtout son grand frère Martin qui voyait les deux amants au boulot, en tant que gérant de l'établissement. Et ce qu'il voyait n'était pas agréable.

Leur comportement variait d'une journée à l'autre. Ils avaient les yeux cernés, posaient des gestes erratiques, se traînaient les pieds.

« Ils ne donnaient pas un service adéquat, ils avaient l'air de deux personnes qui avaient passé la nuit sur la corde à linge, expliqua Martin lors du procès criminel de son frère cadet en juin 2008.

En tant que gérant, même s'il s'agissait de son propre frère, Martin ne pouvait tolérer de voir deux employés à l'air si « misérable » servir ses clients.

« Ils ne sont pas en état de travailler avec le public », se disait-il.

Ainsi, à plusieurs reprises, il leur a ordonné de quitter le restaurant même s'ils étaient inscrits à l'horaire.

Bien qu'il se doutait que les deux fêtaient jusqu'aux petites heures la veille de leurs jours de boulot, consommant alcool et drogue, il ne savait pas encore à l'époque quelle était l'ampleur de cette consommation.

Guy Lafleur, lui, dit même les avoir déjà observés en pleine chicane conjugale devant les clients. Observation confirmée par Cassandra lors de son témoignage au tribunal, bien des mois plus tard.

« Les parents de Mark nous ont congédiés parce qu'ils considéraient que nous ne nous conformions pas à nos promesses. Ils nous disaient : *On ne peut tolérer que vous veniez une journée pour ne pas revenir pendant trois jours, travaillant un jour, et pas le lendemain.* Et chaque fois que je travaillais, j'étais frustrée parce que Mark et moi nous disputions et les gens dans le restaurant nous voyaient. Parfois, quand ça arrivait, j'allais parler à Lise, Martin ou Guy pour leur raconter ce qui se passait. Ils essayaient de m'aider en parlant à Mark, et lui, il s'en allait. »

Ni le patron ni le père ne pouvait accepter un tel comportement.

Son épouse et lui ont dû se résoudre à les congédier.

« Je ne veux plus vous voir au restaurant. Quand vous déciderez de faire quelque chose de votre vie et de vous prendre en main, je vous redonnerai votre emploi », annonçait Lise Barré-Lafleur à Mark et Cassandra à l'été 2006.

6
Sexe, drogue et violence

À la suite de ce nouvel échec, la vie déjà passablement chaotique du jeune couple allait carrément virer au cauchemar. Leur consommation de drogue allait considérablement s'accroître.

Alors qu'ils se défonçaient déjà à l'alcool pur à 94 %, à la marijuana et à l'ecstasy, ils ont ajouté la cocaïne, les amphétamines, le GHB (la fameuse drogue du viol), et le crack, ce dérivé de bien piètre qualité de la cocaïne. Vers la fin de leur relation, Mark consommait ce poison presque chaque jour.

C'est le frère aîné de Cassandra qui les aurait initiés à cette drogue. Du moins, selon ce que Mark a raconté à ses parents plus tard.

À l'époque, en plus de payer le condo de Pointe-aux-Trembles, Guy Lafleur avait équipé Mark – qui avait retrouvé son permis de conduire – d'un nouveau véhicule et il eut droit à un rutilant utilitaire sport Cadillac SRX. Qui plus est, il versait chaque deux semaines dans le compte bancaire de Mark une paye, comme s'il travaillait toujours au restaurant familial de Berthierville. « 600 $ chaque fois », selon le témoignage de Cassandra.

« Presque chaque jour, il passait au condo et donnait de l'argent à Mark. Tout dépendait s'il prétendait avoir besoin d'acheter de la nourriture pour notre chat ou nos poissons, si nous n'avions pas fait l'épicerie, s'il voulait acheter des films ou s'il voulait me sortir pour un souper. Il appelait chaque fois son père, et chaque fois son père venait et lui demandait ce qui était arrivé avec l'argent qu'il lui avait donné la veille ou deux jours plus tôt. Mark lui répondait qu'il avait acheté ci ou ça, et Guy en redonnait », a raconté Cassandra au procès. D'après ses souvenirs, les sommes pouvaient varier entre 200 $ et 1000 $ par semaine.

« Beaucoup plus que ce qu'une personne normale fait en travaillant », lui semblait-il.

« Ça me coutait cher, il avait toujours besoin d'argent », a confirmé Guy Lafleur lorsqu'il a témoigné pour la première fois en cour pour faire libérer son fils. Mais, à l'époque, en 2006, il ne savait pas encore que Mark consommait autre chose que de la marijuana.

Et, malgré tout ce qu'il pouvait remettre à son fils comme argent, ça ne suffisait pas à satisfaire son besoin de crack.

Ainsi, à plusieurs reprises, Mark a échangé des appareils électroniques et des meubles de son condo contre de l'argent comptant chez des prêteurs sur gages.

La consommation de ces nouvelles drogues a été accompagnée d'une montée de violence dans le couple. Mark se révélait d'une extrême jalousie, et voulait exercer un contrôle total sur sa copine. Elle, minuscule à côté du grand Mark qui a hérité du physique athlétique de son père, tentait tant bien que mal de se défendre des diverses attaques dont elle a été victime au fil des mois.

Mark était colérique en tout temps et pour toutes les raisons. Et sa rage n'était pas uniquement dirigée contre Cassandra, mais contre quiconque se mettait sur son chemin.

Alors qu'il conduisait sa voiture, revenant d'acheter des semences de marijuana, il a coupé la route à une autre voiture. L'autre conducteur lui a exprimé sa frustration à grands coups de « *fuck you* ». Mark aurait encore une fois disjoncté. Il a ramassé un verre qui se trouvait dans sa voiture et l'aurait lancé, tout en conduisant, sur la voiture de l'importun. Le verre s'est fracassé sur la chaussée et des débris ont touché la voiture de l'autre. Mark l'a ensuite pris en chasse, pas très longtemps puisque l'homme s'est arrêté devant la pizzéria dont il était propriétaire. Mark l'y aurait suivi. L'homme est parti à la course vers l'intérieur pour revenir vers Mark en brandissant une masse. La police est finalement arrivée pour désamorcer la crise.

Lors d'un autre accès de rage au volant, sur l'autoroute 40 à Repentigny en février 2006, il a déjà forcé un automobiliste à s'immobiliser sur l'accotement. Quand Mark est sorti de son véhicule, il lui exhiba un grand couteau.

« Si tu ne veux pas que je te poignarde, retourne dans ton char ! », a ordonné le jeune homme, qui a plaidé coupable à ces accusations en 2008.

Et ce n'est pas tout. Le 6 décembre 2006, alors qu'il roulait sur la rue de Salaberry à Montréal, Lafleur a conduit comme un fou pour forcer à s'arrêter un autobus de la Société de transport de Montréal, dont le chauffeur lui avait coupé la route un peu plus tôt pour réintégrer la rue après avoir pris des passagers. Le chauffeur a même dû légèrement emboutir la Cadillac de Lafleur tellement celui-ci venait de freiner sèchement devant lui.

Mark est sorti de sa voiture et a tenté d'ouvrir la vitre du chauffeur. N'y arrivant pas, il l'a cassée. « *I'm gonna fucking kill you* », lui a-t-il lancé, avant que la police n'arrive et ne l'arrête pour voies de fait, menaces et méfaits sur l'autobus. Une autre accusation à laquelle il a plaidé coupable plus tard.

Mais, c'est Cassandra qui subissait le plus les foudres du jeune homme. Les sujets de dispute étaient aussi variés qu'insignifiants.

S'ils devaient sortir, il ne tolérait pas qu'elle porte des vêtements trop *sexys*, de peur qu'elle n'attire le regard des autres hommes. Si cela arrivait, Mark pétait les plombs. Un soir, Cassandra, Mark et un couple d'amis sont sortis au centre-ville. Et, alors qu'ils marchaient dans la rue, Cassandra était un peu en retrait du groupe. Des hommes qui passaient par là dans une voiture se sont mis à lui crier : « Qu'est-ce qu'une si jolie fille fait seule ce soir ? »

Mark a tout entendu. Et il n'a pas aimé.

« Attends de voir ce que je vais te faire en rentrant à la maison », a-t-il menacé sa jeune conjointe. Tout au long du trajet de retour, dans la voiture de l'autre couple, Cassandra pleurait en silence. Nerveuse, effrayée par ce qui risquait de lui arriver. Une fois au condo, l'autre jeune fille et Cassandra ont usé d'un subterfuge pour aller discuter dans la salle de bain. Elle avait besoin de parler, de se vider le cœur. Mais Mark a entendu les plaintes de sa copine à travers la porte et il a perdu les pédales.

Il a défoncé la porte, qui, en tombant, a coincé le bras de Cassandra contre la machine à laver. Elle le croyait cassé tant il lui faisait mal. Après que Mark eut froidement donné congé à ses amis, il est retourné auprès de Cassandra. Pas pour la consoler, mais encore pour la frapper au bras et pour la traiter de pleurnicharde.

Les disputes pouvaient être causées par le manque de nourriture dans le condo ou parce qu'il ne restait plus de drogue.

Dans les mois qui suivront, les ecchymoses, sur les bras, sur les jambes et même sur l'œil, étaient le lot quotidien de Cassandra, racontera plus tard la sergente-détective Josée Gagnon au cours des procédures judiciaires contre Mark.

À une autre occasion, Mark jouait avec un couteau, alors que les deux amants se trouvaient dans la voiture. À un moment donné, il a fait mine de vouloir poignarder Cassandra. Celle-ci s'est d'abord figée. Mark pouvait parfois se montrer si violent qu'elle y croyait.

« C'est une blague », a-t-il dit pour la rassurer.

Mais il a recommencé, et, par réflexe de protection, Cassandra a placé sa main devant la lame du couteau, qui s'est enfoncée dans l'index de la jeune femme.

Tous deux étaient horrifiés. Mark a conduit Cassandra à l'hôpital Lakeshore. Là-bas, elle a menti pour expliquer sa blessure, disant qu'elle s'était fait cela en travaillant sur une mini-moto.

Au sortir de l'hôpital, elle s'est rendue dans une pharmacie du boulevard Pierrefonds, dans l'ouest de l'Île-de-Montréal, pour y acheter un tube d'onguent antibiotique pour empêcher sa plaie de s'infecter. À sa grande surprise, une de ses meilleures amies, Shyla (nom fictif), avec qui elle avait pratiquement coupé tous les ponts depuis le début de sa relation avec Mark – comme elle l'a fait avec pratiquement tous ses amis d'ailleurs – y travaillait comme caissière.

« Qu'est-ce que tu as ? lui a-t-elle demandé en voyant qu'elle était blessée à la main.

– Je travaillais sur une mini-moto et je me suis coupé la main. Je dois mettre de l'onguent sur la plaie pour éviter l'infection, a encore expliqué Cassandra.

– Je sais que c'est toi qui lui as fait ça ! » a alors lancé Shyla en fixant Mark, qui se tenait juste derrière sa copine, droit dans les yeux.

Ne sachant quoi répondre, le jeune homme a bafouillé et nié, et, Cassandra l'a encore protégé, insistant sur la fausse histoire de la mini-moto.

Néanmoins, les deux filles ont échangé leurs coordonnées, question d'essayer de renouer ensemble.

Une fois dans la voiture, Mark s'est fâché.

« Qu'est-ce que tu as fait ? L'as-tu regardée en voulant dire que c'était moi ? » a crié Mark, qui a informé Cassandra qu'il était hors de question qu'elle voit à nouveau cette Shyla.

Dans les jours qui ont suivi, la copine de Mark a insisté auprès de lui pour revoir son amie qu'elle ne voyait plus depuis belle lurette. Mais Lafleur était inflexible. Et cela la rendait malheureuse.

« Elle a juste dit ça parce qu'elle a entendu des choses sur toi et ton passé. Ne t'en fais pas, elle ne sait pas que c'est toi, ne le prends pas personnel », répétait Cassandra pour le rassurer.

Il a finalement accepté et, un bon soir, Shyla et son copain sont venus rendre visite au jeune couple, dans le condo de Pointe-aux-Trembles. C'était le 21 octobre 2006.

Ils ont bu, ils ont joué au Monopoly et ils ont eu du plaisir. En fait, tous sauf Mark, parce que celui-ci, en éternel jaloux, a fait une autre crise, accusant Cassandra de flirter avec le copain de Shyla, d'échanger avec lui des regards passionnés. Encore une fois, elle a dû le rassurer.

Plus tard, les filles, affamées, ont envoyé leurs hommes chercher à manger au McDonald's le plus proche.

C'était en fait une ruse orchestrée par Shyla, qui voulait avoir une discussion bien sentie avec Cassandra.

« Tu vas me dire la vérité sur ta blessure à la main parce que je sais que ce n'est pas arrivé avec une mini-moto ! Ne me mens pas », a ordonné Shyla.

Cassandra a alors mis les cartes sur la table. Elle lui a raconté les horreurs vécues ces derniers mois. Mais, elle lui a aussi raconté comment cela pouvait parfois être si bon et doux avec Mark, à quel point il a pu être attentionné pour elle à certains moments.

« Mais qu'est-ce que tu attends pour partir ? Regarde, il vient de te poignarder la main ! Est-ce que tu attends qu'il te plante son couteau dans le cou, qu'il tente de te tuer ? »

Shyla ne s'est pas seulement contentée de dire ses quatre vérités à son amie, elle s'est dirigée vers la chambre à coucher et s'est mise à ramasser les vêtements de Cassandra. Celle-ci, un peu malgré elle, s'est mise à l'aider à remplir en vitesse des sacs à ordures avec ses vêtements. Quand les gars sont arrivés, Mark a vite remarqué les sacs, et il a vraiment disjoncté.

« Après tout ce qui est arrivé, Mark, j'ai tout raconté à Shyla. Je veux juste partir et j'ai fait mes bagages. Je rentre à la maison », lui a annoncé Cassandra.

Et il ne l'a pas bien pris. Mais pas du tout.

Il a ramassé les sacs, les a déchirés, et s'est mis à répandre les vêtements de sa copine partout dans le condo. « Tu n'iras nulle part », criait-il.

Il lui a retiré la jolie paire de souliers rouges qu'il lui avait offerts.

« Je vais les briser. Aucun autre homme ne pourra te voir les porter. Si tu veux me quitter, je vais tout reprendre ce que je t'ai offert », l'a-t-il menacé.

Elle lui a répondu en lui assénant un coup de poing au visage. C'était la première fois. C'était un geste impulsif. Elle l'a immédiatement regretté. Pas qu'elle craignait de lui avoir fait mal, mais elle s'attendait à recevoir sur-le-champ la correction de sa vie.

Il a alors empoigné Cassandra et l'a traînée dans leur chambre à coucher. Elle pleurait.

« Pourquoi tu me fais ça ? Tu sais que je t'aime. Je t'ai dit que je ne te ferai plus mal comme ça, je vais changer, demander de l'aide », répétait-il sur un refrain que Cassandra connaissait trop bien.

« Non, pas cette fois. Je veux partir maintenant », a-t-elle froidement rétorqué.

Elle a alors fait mine de vouloir quitter la chambre. Il lui a attrapé le bras pour l'en empêcher et l'a frappée en plein ventre, tout en continuant à divaguer.

Toujours au salon, Shyla entendait des bruits de bagarre, mais surtout les pleurs de son amie. C'en était trop pour elle. Elle a appelé la police.

Quand les agents sont arrivés, Mark et Cassandra étaient toujours dans la chambre. Ils ont bien vu qu'elle pleurait, et que quelque chose ne tournait pas rond.

Mais, comme elle l'a toujours fait, Cassandra, même s'il venait de la traiter de la plus horrible des façons, a décidé de le protéger.

« Il ne s'est rien passé. Tout est OK», a-t-elle balbutié devant les agents.

Ceux-ci, impuissants à aider l'adolescente qui refusait de porter plainte, n'ont toutefois pas quitté les lieux sans remarquer que Mark Lafleur faisait pousser des plants de marijuana dans l'autre chambre du condo. Il a plus tard été accusé de possession de drogue, accusation à laquelle il plaidera coupable en juin 2008.

Résultat de cette soirée : Cassandra a été violentée encore une fois, et malgré l'aide de son amie et l'intervention de la police, elle habitait toujours avec Mark, sans savoir quand et pourquoi il disjonctera la prochaine fois.

Même s'il lui faisait souffrir le martyre, Cassandra lui pardonnait tout le temps, ne portait pas plainte, continuait de vivre avec lui, malgré sa peur.

Une soirée de l'été 2006 au cours de laquelle ils s'étaient encore disputés, Cassandra, en sanglots, avait appelé sa mère pour se vider le cœur. Mark passait l'aspirateur. Mais il entendait tout de même ce qu'elle racontait à sa maman. Il a fait semblant de la frapper avec le boyau de l'aspirateur. Le sachant bien capable de le faire, elle s'est mise à crier et à pleurer dans le combiné.

« *Oh my god* ! Il va me frapper avec l'aspirateur ! » lança-t-elle à sa mère.

Furieux, Mark la traita de bébé, l'accusa de surréagir à une situation bien anodine et la menaça de débrancher le téléphone.

Mais la mère de Cassandra avertit alors Mark.

« Si tu débranches le téléphone, j'appelle la police ! » martela-t-elle dans le combiné.

Ce simple petit mot, « police », fut suffisant pour faire perdre la raison à Mark. Il a pris la cigarette qu'il avait au bec et l'a écrasée sur la cuisse intérieure de Cassandra, la brûlant douloureusement d'après le témoignage de la jeune femme. Puis, il arracha le fil du téléphone.

« Rebranche ça, je dois rappeler ma mère, elle va appeler la police, lui intima la jeune femme.

– Je m'en fiche », répondit-il.

Cinq minutes plus tard, on cogna à la porte du condo. La police. Mais Mark ne voulait rien savoir de les laisser entrer. Il a eu beau tenter de leur fermer la porte au nez, les agents ont fini par entrer.

Dans sa folie passagère, Mark a engagé le combat avec les agents. « On aurait dit un match de lutte », a décrit Cassandra.

Mais c'est elle qui a tout de même réussi la première à le calmer.

« S'il te plaît, bébé, calme-toi. Tu réagis beaucoup trop fort. Va t'asseoir sur le divan, c'est la meilleure chose que tu puisses faire », lui a-t-elle doucement conseillé.

Il a obtempéré, non sans continuer d'injurier les agents de la paix, qui ont bientôt été rejoints par des collègues en renfort.

Une agente a entraîné Cassandra dans la chambre à coucher pour l'examiner. Elle a remarqué la petite brûlure, ronde et bien marquée, sur sa cuisse.

« C'est un accident, il a déposé sa cigarette sans regarder et il m'a brûlée », a bafouillé l'adolescente devant la policière incrédule.

Mais les agents ont tout de même arrêté Mark, pour voies de fait sur des policiers, et ils ont ensuite posé toute une série de questions à Cassandra, lui demandant si elle souhaitait voir son concubin demeurer détenu et si elle avait peur de lui.

« Non, je n'ai pas peur de lui ! Je veux qu'il soit relâché ! » a-t-elle insisté.

Entre-temps, la mère de Cassandra et son frère cadet sont arrivés sur les lieux, et ont entrepris de faire les valises de la jeune femme, bien décidés à la tirer des griffes de Mark, demeuré détenu pendant environ une heure avant d'être relâché par les agents sur promesse de comparaître pour voies de fait. Quand il est rentré, il est tombé sur tout ce beau monde. Et, sans grande surprise, il a piqué une sainte colère.

« C'est moi qui ai appelé la police. Tu me fais peur, et j'ai entendu ma fille crier et le téléphone a été coupé. Que voulais-tu que je fasse ? »

a crié Rosie.

Mark est rapidement devenu agressif, et, quand le frère de Cassandra s'est placé devant lui pour protéger sa sœur et sa mère, la bousculade a éclaté. À un tel point que les policiers ont été rappelés.

Cassandra est sortie du condo pour leur parler. En fait, elle s'est mise à pleurer et à déballer son sac. Un agent l'a serrée contre lui.

« Tu vaux mieux que ça. Pars avec ta mère et reste avec elle. C'est la meilleure chose qui puisse t'arriver », lui aurait-il suggéré.

Pendant ce temps, Lafleur avait pris la fuite par l'arrière du condo.

Cassandra a pu partir avec les siens. Mais, il n'a pas fallu tellement de temps pour que Lafleur ne ressurgisse, les suivant sur la route jusque chez eux, dans l'ouest de Montréal. Comme d'habitude, peu de temps après, Cassandra était de retour.

Les parents de Cassandra, qui n'aimaient déjà pas Mark, se mirent à le détester encore plus.

Ainsi, le 16 novembre 2006, journée de l'anniversaire de la mère de Cassandra, celle-ci a bien mentionné à sa fille qu'elle préférerait ne pas voir Mark chez elle. Mais, que si cela voulait dire qu'elle non plus n'y serait pas, elle le tolérerait.

Même si ça ne lui plaisait pas tellement non plus, Mark décida tout de même d'y aller.

Dans la voiture, en route vers la maison familiale, les amants se sont encore une fois disputés. Mark avait changé d'idée : il ne voulait plus y aller. Cassandra a alors piqué une colère. Mark a arrêté sa voiture dans un stationnement d'école près de l'Île-Bizard, car la dispute devenait si violente qu'il n'était plus capable de conduire.

« Tu avais dit que tu venais. Maintenant si tu ne viens pas, ils vont savoir que quelque chose ne va pas. Tu n'as pas le choix de venir, maintenant », argumentait Cassandra.

Pendant cette énième dispute, le père de l'adolescente est passé devant eux en voiture et les a aperçus.

« Vous feriez mieux de vous pointer très bientôt. Ta mère est inquiète », leur lançait-il.

Cette irruption du père n'a fait qu'enrager encore plus Mark.

« Tu as vu comment il m'a regardé ? Il a été agressif, il ne veut pas me voir. Alors on n'y va plus. On retourne chez nous », a tranché Mark Lafleur.

Ils se sont finalement rendus au parc du mont Royal, après un arrêt à la Société des alcools du Québec (SAQ). Une fois sur place, Cassandra s'est mise à pleurer et à crier que c'était l'anniversaire de sa mère et qu'elle voulait y assister. Pour la calmer, Mark lui a assené de violents coups de poing sur la jambe.

« Arrête, ou je te frappe encore », a-t-il ordonné, l'empêchant de sortir de la voiture.

Ils ont fini par rentrer au condo et ils se sont couchés. Mais Cassandra était toujours aussi frustrée. À un point tel qu'elle a appelé sa mère en pleine nuit pour lui raconter ce qui s'était passé.

« Bébé, me fais-tu confiance ? lui a demandé sa mère.

– Oui, a répondu Cassandra.

– Tu me fais confiance peu importe ce que je déciderai ?

– Oui. Mais pourquoi ?

– Alors laisse-moi faire ce que je dois faire », a-t-elle conclu avant dc raccrocher.

Vers 4 h, en pleine nuit, Cassandra a été réveillée par le son du carillon de la porte d'entrée. Puis, par celui de coups dans les fenêtres.

Elle a ouvert la porte et a vu entrer son père, ainsi que ses deux frères, aîné et cadet.

Mark, qui s'était réveillé, a protesté.

« Toi, tu t'assois sur le divan, tu ne bouges pas, tu ne parles pas », lui a lancé le père de Cassandra avec autorité.

À la maison, elle leur a montré les ecchymoses provoquées par les coups de poing portés par Mark dans la voiture au mont Royal.

Le lendemain, le téléphone sonnait dans la maison des parents de Cassandra.

« Je m'excuse, je vais changer, je ne vais pas recommencer, je t'aime et je m'ennuie. » C'était Mark, évidemment, qui, comme chaque fois qu'un incident décidait Cassandra à le quitter, rappliquait en sanglotant et la suppliait de lui revenir. Et, ça marchait à tous les coups.

« J'étais avec lui depuis un si jeune âge et j'avais arrêté l'école. Je n'avais plus d'amis et je croyais vraiment qu'il m'aimait. C'est pour ça que j'ai fui la maison, que j'ai arrêté l'école, que j'ai coupé les ponts avec mes amis. Chaque fois qu'il me disait *je suis désolé, je n'ai jamais voulu faire ça*, et après tout ce que j'avais traversé avec lui, je me disais qu'il devait sincèrement avoir des sentiments pour moi pour toujours me supplier de revenir avec lui », a exprimé Cassandra au tribunal pour expliquer pourquoi elle n'arrivait pas à quitter Lafleur malgré tous les mauvais traitements qu'elle subissait.

« Mais aussi, quand nous avions de bons moments, c'était vraiment de très très bons moments », a-t-elle ajouté.

Guy et Lise Lafleur, eux, savaient que la vie du jeune couple était constituée d'incessantes disputes. Ils les avaient vus au restaurant se tirailler devant les clients lorsqu'ils y travaillaient. À plusieurs reprises, Lise Barré-Lafleur avait indiqué à Cassandra qu'elle serait bien mieux de quitter son fils, pour leur bien à tous les deux.

« Elle me disait qu'elle m'aimait mais que j'étais stupide de rester avec Mark », a raconté Cassandra à l'enquête préliminaire de son ex.

« J'appelais régulièrement au condo et ils étaient souvent en chicane. Cassandra criait après Mark à tue-tête et vice versa. Ça arrivait très fréquemment. J'ai jamais été conscient (de leur consommation de drogue), à part le fait que Mark fumait un joint de temps en temps pour se calmer », a juré Guy Lafleur dans un de ses témoignages à la Cour.

Cassandra dit que Guy Lafleur a même été témoin d'une violente saute d'humeur de Mark, qui a déchiré devant lui une paire de chaussures qu'il lui avait offertes.

Celui-ci a aussi fini par savoir que les bruyantes disputes de son fils et de sa copine n'étaient pas sans énerver leurs voisins, qui allaient parfois jusqu'à appeler la police. Ainsi, lors d'une réunion avec les copropriétaires de condo, ceux-ci en ont avisé Guy Lafleur, qui leur a demandé de l'appeler lui plutôt que la police, à l'avenir.

Lafleur a alors bien averti son fils qu'il ne voulait plus que Cassandra crie autant, et que, s'il apprenait par les voisins que ça ne changeait pas, il y aurait des conséquences.

« Tu ne peux pas continuer comme ça. Tu dois arrêter. Et si tu n'arrêtes pas, je vais cesser de te donner de l'argent et je vais t'enlever ton camion », aurait averti le père, selon les souvenirs de Cassandra.

Il croyait bien faire. Ne sachant pas que la violence était si intense entre les jeunes amants, il se croyait capable de simplement les raisonner quand ça allait mal.

Mais Mark, qui a mal interprété cette démarche de son père, s'en est servi pour accentuer la terreur de Cassandra.

« Tu as beau crier, les voisins n'appelleront même pas la police », lui disait-il.

« Et, si tu portes plainte à la police et que tu détruis la réputation de mon père, ta famille va se faire tuer », menaçait Mark.

De toute façon, lui répétait-il sans cesse, elle ne serait jamais rien sans lui.

« Jamais aucun autre homme ne t'aimera pour vrai comme moi, ils vont juste te maltraiter et vouloir avoir du sexe avec toi. C'est tout. Tu deviendras une prostituée », lui répétait-il.

Ironiquement, c'est quand elle l'a finalement laissé dès qu'elle a pu progresser un peu : recommencer l'école, obtenir son permis de conduire, trouver un travail et un appartement.

« J'ai progressé plus en un an sans lui que pendant trois ans avec lui », a-t-elle indiqué dans son témoignage à l'enquête préliminaire de Mark Lafleur.

7
La terreur

Les Lafleur n'allaient pas pouvoir ignorer encore bien longtemps l'enfer que vivait leur fils et Cassandra. En fait, dès décembre 2006, cet enfer leur a sauté au visage et est aussi devenu le leur.

Ils organisaient même des réunions de famille avec les deux jeunes en perdition et Martin. Le but étant de se tenir au courant de l'évolution de la situation de Mark et Cassandra.

L'adolescente rieuse du début n'était plus que l'ombre d'elle-même. Elle semblait constamment inquiète. Qui plus est, elle avait dangereusement maigri, passant de 41 kilos au début de leur relation à 31 vers la fin. Ce qui inquiétait beaucoup les Lafleur.

« On leur parlait de thérapie, de changement d'amis. Les deux avaient des problèmes d'alcool et de drogue. Je parlais avec Mark et Cassandra pratiquement tous les deux jours, pour m'informer, leur dire qu'il fallait qu'ils trouvent de l'ouvrage et aillent à l'école. Ils me disaient qu'ils avaient regardé pour un institut qui donnait des cours du soir. Mais ça ne s'est jamais concrétisé », a raconté l'ex-hockeyeur vedette.

Malgré cela, les Lafleur ont voulu donner une autre chance au couple.

« On lâche la drogue et on veut faire de l'argent », leur avaient annoncé les amoureux à l'automne 2006.

Guy Lafleur a donc accepté de les réembaucher au restaurant de Berthierville. L'entente était qu'ils devaient travailler durant les deux semaines du mois où les parents Lafleur étaient sur place.

Le matin du 11 décembre, Lise et Guy étaient dans la suite du Days Inn, tout juste en face de leur restaurant. Ils se préparaient pour aller travailler. Les deux jeunes étaient aussi inscrits à l'horaire ce matin-là, mais ils tardaient à se lever. Guy a décidé d'aller cogner à la porte de leur chambre. Quand elle s'est ouverte, c'est un spectacle bien triste qui s'est offert aux parents. Une image qu'aucune mère ni aucun père ne souhaite voir de toute sa vie.

Ils étaient, d'après Lise, dans un état lamentable, agités, confus et paniqués. Cassandra entourait son maigre ventre de ses bras. Elle se plaignait de difficultés respiratoires.

« Appelle un médecin, maman, supplia Mark.

– Si vous voulez que je vous aide, vous devez me dire ce que vous avez pris, a rétorqué la mère à son fils, qui dut bien finir par s'y résoudre.

– On a pris du crack, maman… »

Mme Barré-Lafleur a mis du temps à encaisser le coup. Elle les savait en déroute depuis un certain temps, mais du crack, une drogue si dure... Jamais elle n'aurait cru que son fils était rendu si loin.

Plutôt que d'appeler un médecin, elle a décidé de leur donner du temps pour dormir et manger. Le temps pour elle de réfléchir à la situation, et pour Cassandra de récupérer un peu. À son réveil, elle a mangé un peu, et a même fumé une cigarette, ce qui indiqué à la mère de Mark que Cassandra ne devait pas être en si mauvais état.

Ils discutèrent longuement. Les jeunes ont promis aux Lafleur de faire de gros efforts pour cesser toute consommation de ce poison.

« La prochaine chose grave qui arrive, ça va mal aller », les a mis en garde la mère de Mark.

Mais, quelques jours plus tard, les bonnes intentions de Mark étaient anéanties. Il continuait à fumer du crack. Pour cette raison, il priva Cassandra du cadeau de Noël que Guy Lafleur venait de lui offrir.

Elle s'était inscrite à un concours de mannequins, et devait, ce jour-là, passer au palais des congrès pour payer son inscription, avant de rencontrer un photographe, ami de son frère, qui devait l'aider à se constituer un portfolio. Avant de s'y rendre, elle avait rencontré Guy dans l'ouest de l'Île-de-Montréal, où il lui avait remis 700 $ pour l'aider à payer son inscription au concours.

La veille, Mark s'était défoncé encore une fois. Ça lui avait coûté une petite fortune. Et il avait menacé Cassandra de lui prendre l'argent que lui offrait son père pour payer sa drogue. Elle aurait voulu refuser le cadeau quand elle s'est retrouvée face à Guy Lafleur et lui dire ce que son fils voulait en faire. Mais, devant la générosité du Démon blond, elle a fondu en larmes et ne s'est que timidement opposée. Pour la forme. Et elle a pris l'enveloppe.

En route vers le palais des congrès, dans la voiture de Mark, elle a conservé l'enveloppe marquée à son nom sur ses genoux. Ce n'était qu'une question de temps pour qu'il la lui prenne.

« Comment je vais payer pour mon concours, maintenant ?

– Ce n'est pas mon problème, lui a-t-il effrontément répondu. Je vais t'en laisser la moitié, demande le reste à tes parents.

– Ils n'ont pas cette somme à portée de main, l'informa-t-elle.

– Tu devrais te considérer chanceuse. C'est l'argent de mon père et tu ne devrais pas considérer qu'il t'appartient. Tu es chanceuse que je t'en laisse la moitié », a conclu Lafleur.

Arrivée au palais des congrès, Cassandra a voulu sortir de la voiture pour rejoindre ses parents qui y étaient eux aussi. Elle s'est étirée pour attraper sa bourse et son manteau à l'arrière, mais il l'en a empêchée.

« Je ne te fais pas confiance. Je ne sais pas si tu vas revenir. »

Elle lui a suggéré de venir avec elle, mais il a refusé, ne voulant pas voir ses parents. Il a fini par ouvrir la porte du côté passager et il a poussé Cassandra dehors. Elle est tombée sur le derrière, en plein mois de décembre, sans manteau.

Elle a retrouvé ses parents, qui venaient d'assister à la scène. Hors d'elle, Cassandra a appelé Guy Lafleur pour lui raconter comment son fils lui avait volé son cadeau et comment il l'avait poussée hors de la voiture sans veste ni bourse. Guy lui a promis d'appeler Mark pour le calmer.

Ses parents ont finalement payé son inscription en grande partie, et, malgré la terreur de ses parents, elle s'est rendue avec Mark chez le coiffeur, qu'elle devait voir tout juste avant sa séance de photos. Pendant qu'elle se faisait coiffer, lui, fumait du crack dans sa voiture. Elle l'a surpris et s'est fâchée.

Ce soir-là, elle a passé la nuit chez ses parents. Mais, le lendemain matin, Mark l'attendait devant chez elle. Il était bien mis, propre, mais avait l'air sous l'effet de la drogue. Comme chaque fois, il a pleuré et s'est excusé. Et, comme chaque fois, elle est repartie avec lui.

Au début de janvier 2007, une autre dispute causée par une peccadille a viré au drame. Ils étaient ivres. Mark était en plus complètement *groggy* à cause du crack qu'il avait fumé. Comme il flambait tout l'argent que son père lui donnait dans la drogue, il négligeait de remplir le frigo. Ce soir-là, il ne restait qu'une pointe de pizza. Cassandra avait faim et voulait la manger. Mark la voulait aussi. Résultat : une bagarre a éclaté ! Il l'a frappée au visage, ce qui lui a causé une blessure au-dessus de l'œil.

Guy Lafleur et son épouse n'ont pas mis longtemps avant de se rendre compte que la promesse que leur avait faite Mark en décembre de ne plus fumer de crack ne tenait plus, et que la situation avait, au contraire, empiré, pour culminer le 8 janvier 2007.

C'était un autre matin où le jeune couple était inscrit à l'horaire du *Mikes* de Berthierville, et un autre matin où, bien après que leur heure d'entrée en fonction ait été dépassée, ils ne donnaient pas signe de vie, semant encore une fois l'inquiétude chez Guy et Lise Lafleur.

« Ce n'est pas normal, s'est-elle inquiétée.

– Ne t'en fais pas, ils ont encore dû se coucher tard, ils vont finir par arriver, l'a rassurée Guy.

– Non, on va voir ce qui se passe », a-t-elle insisté.

Ils ont traversé l'avenue Gilles Villeneuve pour aller cogner à la porte de la chambre de Mark, au Days Inn.

Ce qu'ils y virent les stupéfia.

Ils étaient encore couchés. Les parents voyaient alors très bien les ecchymoses sur les bras de Cassandra, et une tout près de son œil, la blessure causée par la dernière chicane.

« Les bleus aux bras de Cassandra, c'était comme si quelqu'un l'avait serrée très fort au bras. La petite marque sur la joue, près de l'œil, saignait un peu », s'est péniblement souvenue Lise Barré-Lafleur au procès de son fils.

Mark aussi avait des bleus sur les jambes.

La panique s'est emparée de Lise Barré-Lafleur. Non seulement son fils se droguait toujours, mais il y avait maintenant de la violence entre les deux jeunes.

Son premier réflexe fut de téléphoner à son autre fils Martin, pour qu'il vienne constater l'ampleur de la situation.

Quand il est entré dans la suite du Days Inn, Martin a d'abord constaté les blessures des deux amants. Mais, ce qui l'a frappé le plus, c'est leur perte de poids énorme.

C'en était trop pour la mère de Mark.

Depuis sa rencontre avec Guy Lafleur au début des années 1970, ils ont traversé toutes sortes d'épreuves : l'absence de Guy qui était sollicité de toute part, une rupture temporaire et ultra-médiatisée, un accident qui a failli coûter la vie à Guy, puis sa fracassante démission du Canadien alors qu'elle était enceinte de Mark. Et ensuite, ce garçon, attachant, mais si énergique que personne ne savait comment l'aider à mener une vie normale avec les autres jeunes de son âge, qu'on a ballotté de gauche à droite comme un indésirable.

Elle a décidé de s'enfuir pour un moment, question de réfléchir, de prendre la bonne décision sur la suite à donner aux choses. Elle a décidé de rentrer à la maison de l'Île-Bizard. Elle a offert à Cassandra de la conduire chez ses parents, ce que cette dernière a refusé.

Le lendemain, elle a téléphoné à son mari.

« J'aimerais que tu téléphones à Me Jean-Pierre Rancourt (l'avocat de Mark) pour qu'il prenne rendez-vous avec le Dr Gagné (Pierre Gagné, un psychiatre de Sherbrooke qui avait déjà suivi Mark) le plus rapidement possible. Parce que là, il y a de la violence et du crack. »

Guy Lafleur a obtempéré, mais, entre-temps, Mark et Cassandra avaient regagné le condo de Pointe-aux-Trembles, et la situation n'y était guère plus rose que la veille à Berthierville.

Un ou deux jours plus tard, un autre affrontement a éclaté. Cette fois, Mark enverra la jeune fille dans leur chambre en guise de punition. Pendant toute une nuit et une partie de la journée, il lui a interdit d'en sortir, sauf pour aller à la toilette. La porte n'était pas verrouillée, mais, assis à son ordinateur dans le salon, Mark voyait la porte s'ouvrir chaque fois que Cassandra voulait sortir de la pièce. À une occasion pendant cette période de détention, elle est sortie et elle a protesté contre le régime de terreur qu'imposait Mark.

Ce dernier s'est approché d'elle, l'a prise à la gorge, l'a soulevée et l'a lancée dans le lit.

« Tu vas rester là », ordonna-t-il, ajoutant qu'il la conduirait chez elle le lendemain, ce qu'il ne fit pas.

Le 1er février, quand il fut arrêté, Mark Lafleur raconta à deux policiers, pendant son interrogatoire, que Cassandra n'était pas emprisonnée dans la chambre.

« Elle aurait pu sortir par la fenêtre », a-t-il plaidé pour sa défense.

Le 13 janvier, Lise Barré-Lafleur a téléphoné au condo. Depuis qu'elle avait appris, en décembre, que son fils et sa copine consommaient du crack et qu'il y avait de la violence entre les deux, elle avait pris l'habitude, avec Guy et Martin, d'appeler régulièrement pour savoir si les deux jeunes étaient corrects.

« Je vais quitter Mark. Il fait encore du crack, c'est fini », a annoncé Cassandra à Lise.

« Appelle ta mère et demande-lui de venir te chercher au condo », lui a suggéré Lise Barré-Lafleur, qui avait un mince espoir de voir enfin les deux amants cesser de s'autodétruire.

En rappelant un peu plus tard pour s'informer des démarches de Cassandra, elle déchanta. Les plans avaient changé sans avertissement.

Ainsi, Cassandra lui apprenait qu'elle n'avait pas appelé sa mère, et qu'elle s'en venait à Berthierville avec Mark, qui devait passer dans un garage du coin et y acheter une pièce pour sa voiture. Il venait de se faire voler le logo Cadillac sur son camion et en avait commandé un nouveau.

« C'est aujourd'hui que ça s'arrête. Je n'en peux plus. Là, c'est moi qui vais appeler la mère de Cassandra pour qu'ils aillent chercher leur fille », s'est dit Lise Barré-Lafleur, qui commençait à être sérieusement épuisée et inquiète de la tournure des événements.

Confuse, elle a cherché à établir un plan de match rapidement.

« Cassandra, tu vas t'arranger pour que vous passiez par le restaurant en arrivant à Berthier et tu vas donner le numéro de téléphone de ta mère à Martin », lui a-t-elle demandé.

Elle a donné à Martin des directives, se gardant bien de laisser paraître le réel objectif visé par ses manigances.

« Je veux qu'en passant à Berthier, tu laisses Cassandra à l'hôtel, je dois lui parler de son horaire de travail », a commandé la mère à son fils.

À ce moment, la stratégie de Lise Barré-Lafleur consistait à retenir les enfants à Berthierville et de téléphoner à la mère de Cassandra pour qu'elle vienne chercher sa fille.

En arrivant sur place un peu plus tard, Mark a stationné sa voiture devant le restaurant et y est entré pour prendre un repas pour emporter. Cassandra est restée dans la Cadillac.

En voyant son jeune frère entrer dans le *Mikes*, Martin Lafleur, suivant les directives de sa mère, est sorti pour aller à la rencontre de Cassandra.

Dans le véhicule, Cassandra pleurait quand Martin l'a approchée. Il lui a demandé de lui remettre le numéro de téléphone de sa mère. Elle l'a inscrit sur une vieille facture de Canadian Tire qui traînait sur le plancher du camion.

Première partie de mission accomplie.

Quand Mark s'est rassis derrière le volant, n'y voyant que du feu, il a reconduit Cassandra à la suite de ses parents, avant de partir chercher sa pièce d'auto.

« On ne peut plus vous aider, vous avez besoin de l'aide d'un professionnel, a insisté Lise Barré-Lafleur.

– Moi, je n'en ai pas besoin, mais Mark oui », a répondu Cassandra, qui semblait troublée, même si elle restait calme.

Elle a ensuite expliqué à la mère de Mark tout ce qui s'était passé ces derniers mois : les coups qu'il lui a donnés, les clés qu'il lui a balancées à la tête, le crack consommé de façon quasi ininterrompue et toutes ces choses qu'il allait porter chez le prêteur sur gages pour amasser quelques dollars de plus pour se procurer sa drogue.

Mais Mark repassa bien vite au Days Inn. Ses plans avaient changé. Il annonça qu'ils allaient rentrer à Pointe-aux-Trembles sous peu. C'est donc Cassandra plutôt que Lise qui appela sa mère ce soir-là.

La mère et sa fille avaient si peur de Mark depuis quelques mois qu'elles avaient élaboré un « plan de sauvetage » au cas où il perdrait les pédales et que la violence prendrait le dessus.

« Nous avions elle et moi établi un code qui me permettait de savoir qu'elle était dans un très sérieux trouble et qu'elle pouvait me dire au téléphone sans que ça alerte Mark. Le code était *Mommy I really really miss you* », a expliqué la mère de Cassandra lors du procès de Mark.

Et, en ce début de soirée du 13 janvier 2007, le téléphone a donc sonné chez les parents de Cassandra. Sa mère a répondu.

« *Mommy I really really miss you*, a sangloté l'adolescente à l'autre bout du fil.

– Où es-tu ?

– Berthierville.

– Qu'est-ce que je dois faire ?

– Quand je vais te rappeler, ça voudra dire qu'on est en route vers le condo, tu viendras là-bas », a indiqué la jeune fille.

Puis ils partirent, et c'est Lise Barré-Lafleur qui appela Rosie.

« Je voulais garder la situation le plus calme possible. C'était la première fois que je plaçais un appel à la mère de Cassandra depuis le début de cette relation, et je voulais m'assurer qu'ils gardent leur fille chez eux », a expliqué Lise Barré-Lafleur au procès.

Elle a aussi admis que, si elle avait toujours hésité à appeler les parents de Cassandra, c'était parce qu'elle avait un peu peur des réactions de son père. Selon les informations qu'elle avait à l'époque, de Mark et de Cassandra, dit-elle, le père de la jeune fille pouvait « devenir fou » lorsqu'il était fâché. Aussi, elle pensait à cet événement de décembre 2004 alors qu'il avait embouti la voiture de Mark pour récupérer sa fille. Elle croyait qu'il avait agi délibérément. Alors que, selon la police, il s'agissait plutôt d'une fausse manœuvre due à la chaussée glacée. Débat que le procès devant la Cour municipale, bien plus tard, n'allait pas arriver à trancher.

Elle finit donc par appeler la mère de Cassandra pour l'informer de la situation, de la consommation de crack des deux jeunes. Elle lui dit qu'ils étaient en route pour le condo de Pointe-aux-Trembles et l'implora d'aller chercher sa fille et de la garder avec elle. Elle leur promit d'envoyer Mark en thérapie dans les plus brefs délais et de les appeler quand il en sortirait pour qu'ils soient vigilants.

Mais, quelques minutes plus tard, le téléphone de la mère de Cassandra sonnait encore. C'était sa fille, cette fois, qui lui annonçait que les plans de Mark avaient encore changé. Ils devaient repasser à leur condo, mais pour quelques minutes seulement, car le jeune homme voulait aller ailleurs ensuite.

Rosie a donc rappelé Lise Barré-Lafleur pour obtenir son aide. Elle lui a demandé de téléphoner à son fils quand il rentrerait au condo et de le garder au téléphone juste assez longtemps pour que son mari et elle aient le temps de se rendre à Pointe-aux-Trembles pour récupérer leur fille. Mme Barré-Lafleur a accepté.

De l'Île-Bizard jusqu'à Pointe-aux-Trembles, à l'extrémité est de la ville, la voiture des parents de Cassandra, conduite par son père, a survolé les rues montréalaises comme si un pilote de Formule Un était derrière le volant. Au risque de se faire coller plusieurs contraventions pour excès de vitesse. Heureusement, cela n'a pas été le cas et ils sont arrivés à temps chez Mark.

Affolée, la mère a sonné à toutes les portes de l'immeuble pour être certaine de pouvoir entrer dans la bâtisse. Pour s'assurer de la passivité de Mark, le père de la jeune fille s'était équipé d'un bâton de baseball.

Évidemment, en les voyant entrer, Mark était très en colère. Il les a insultés et leur a même réclamé de rembourser à son père les 1 000 $ de crack consommé par leur fille ces derniers jours. « Toi, assieds-toi sur le divan et ne bouge pas. On ramène notre fille cette fois », a rétorqué la mère de Cassandra, qui n'avait que faire des doléances de Mark.

« Il a été assez brillant pour ne pas bouger », a précisé Rosie lors du procès.

Ainsi, ils ont mis toutes les affaires de Cassandra dans des sacs et les ont déposés dans leur voiture.

Quand ils se sont mis en route, Mark a sauté dans son camion et les a suivis jusque chez eux en conduisant comme un fou. Quand Cassandra et ses proches ont pu se réfugier dans la maison familiale, Mark s'est installé devant, tantôt l'air menaçant, tantôt implorant.

Les parents de Cassandra n'ont eu d'autre choix que d'appeler Lise Barré-Lafleur pour lui dire que son fils était installé devant chez eux et ne semblait pas avoir envie de quitter.

Environ une heure après cet appel, ils ont enfin eu la paix. Elle croit que c'est Guy Lafleur qui est venu chercher son fils.

Dans les jours qui ont suivi, le père et le cadet des Lafleur ont eu de nombreuses discussions. Guy avait pris rendez-vous dans une institution psychiatrique à Sherbrooke pour son fils. Malgré la réticence de ce dernier, ils sont allés visiter les lieux, mais Mark a refusé de s'y installer.

« Écoute, *dad,* je vais choisir une maison de désintoxication plutôt que d'aller là. Je suis capable de le faire », a promis Mark Lafleur.

Ainsi, le 18 janvier, il entrait à la maison l'Épervier, à Joliette. Il y était inscrit pour un séjour de trois mois. Mais il n'y est resté à peine plus longtemps qu'à la maison Portage quelques années plus tôt.

Le 21 janvier, il était déjà de retour chez lui à Pointe-aux-Trembles.

Cela va sans dire que la première chose qu'il a faite a été de téléphoner à Cassandra.

« Elle lui a dit qu'elle ne voulait plus qu'il aille là (à l'Épervier), qu'il y avait des filles là-bas. Il y avait énormément de jalousie de part et d'autre », a relaté le numéro 10 lors d'un de ses témoignages, devant le juge Robert Sansfaçon.

Le lendemain soir, Cassandra était au condo de Mark pour un souper. Ses parents s'en sont rendu compte parce qu'elle prenait des cours du soir et qu'elle ne s'y était pas présentée ce soir-là. Il ne leur a pas fallu très longtemps pour comprendre ce qui se passait. Encore une fois, ils ont traversé la ville d'ouest en est pour aller voir si elle était chez Mark. En arrivant sur place, ils ont vu le camion de Mark, ce qui était anormal puisqu'il devait être à l'Épervier.

Elle a donc appelé au condo. Mark a répondu.

« Je viens chercher ma fille, lui a annoncé la mère en furie.

– Non, elle reste avec moi », a rétorqué Mark d'un ton frondeur.

La mère a ensuite fait un autre téléphone. Chez Guy Lafleur cette fois.

« Nous sommes à l'extérieur du condo de Mark, notre fille est avec lui. Soit vous venez le raisonner pour qu'il la laisse partir, soit nous appelons la police », l'a-t-elle menacé.

Ulcéré de voir son fils perdre les pédales encore une fois, Guy Lafleur a immédiatement pris la route. Chemin faisant, il a appelé Mark.

« Mark, les parents de Cassandra sont à l'extérieur du condo, ils veulent aller la chercher et elle ne sort pas. Ils ne savent pas ce qui se passe. Il faut qu'elle sorte de la maison.

– Elle ne veut pas sortir, a répondu son fils.

– Eh bien tu vas la faire sortir, tu vas la pousser sans lui faire mal. Il faut qu'elle sorte sinon ils vont appeler la police », a conclu le père.

La mère de Cassandra a attendu encore un moment. Puis, elle est allée frapper à la porte.

« Cassandra, cette fois, c'est lui ou moi. Tu dois faire un choix », a-t-elle lancé à travers la porte. Elle a choisi sa mère et est sortie. Elle était ivre.

« Il m'aime, il ne me fera plus de mal », a sangloté Cassandra. Sa mère n'en croyait rien.

Quand les parents de Cassandra ont appelé Guy pour lui dire que Mark avait laissé sortir leur fille, il était rendu à Repentigny. Il est tout de même allé rejoindre son fils, avec qui il a longuement discuté, jusqu'aux petites heures du matin.

Le paternel a tant bien que mal tenté de convaincre son fils de retourner en thérapie. À tout le moins le persuader de l'accompagner, comme dans le bon vieux temps, au prochain match de hockey qu'il devait disputer avec l'équipe des Légendes, dans le patelin qui l'avait vu naître, Thurso, en Outaouais. Il lui demanda de venir seul. Ce serait l'occasion pour Mark de passer un peu de temps avec sa grand-maman Pierrette Lafleur.

Mais le 27 janvier, quand Mark se pointa le nez chez sa grand-mère, il lui fit à elle et à son père la mauvaise surprise d'être accompagné par Cassandra. Et il ne resta que la journée et rentra à Montréal le soir même. La journée se passa bien, mais c'est avec désarroi que le père dut se résigner à faire une croix sur sa fin de semaine père-fils.

Depuis cet incident du 22 janvier, Mark et Cassandra se voyaient et passaient la plupart des nuits ensemble, au condo ou dans des chambres d'hôtel. Ces quelques journées se sont déroulées sans trop d'anicroches, mais les parents de la jeune fille ne pouvaient plus tolérer leur fréquentation.

Ils ont donc consulté des avocats et appris qu'ils pouvaient porter plainte à la police contre Mark, même si la victime, leur fille, n'y consentait pas. C'était pour eux une délivrance après toutes ces années de terreur au cours desquelles ils étaient convaincus que seule Cassandra pouvait porter plainte. Chose qu'elle refusait catégoriquement de faire croyant toujours que Mark redeviendrait le prince charmant des tout débuts.

Ainsi, le 29 janvier 2007, ils se rendaient dans un poste de la police de Montréal pour y porter plainte.

L'enquête s'amorça vraiment le 31 janvier.

Ce matin-là, Cassandra s'était réveillée, encore une fois, et malgré l'horreur que cela provoquait chez ses parents, dans les draps de Mark Lafleur. Le jeune homme l'a, en cours de journée, conduite chez ses parents, avec qui elle devait aller rencontrer le directeur d'une agence de mannequins.

Arrivée chez elle, Cassandra apprit que son jeune frère devait aller en ville pour récupérer certains documents lui permettant de faire une demande de passeport. Il devait partir en voyage sous peu et il était bien embêté, car les bureaux administratifs fermaient bientôt.

Mark s'est alors proposé d'aller le reconduire, lui et un ami qui l'accompagnait.

Au début, Cassandra s'est montrée inquiète.

« Mes parents ne veulent pas vraiment qu'on soit ensemble, et je ne sais pas s'ils aimeraient savoir mon petit frère avec toi, a-t-elle fait valoir.

– Je promets que je ne ferai rien de stupide, l'a-t-il rassurée.

– Bon… »

Et ils sont partis.

Pendant les heures suivantes, Cassandra a tenté sans succès de joindre Mark, qui ne répondait pas au téléphone. Elle ne voulait pas signifier son inquiétude à ses parents qui ne savaient pas avec qui était parti leur plus jeune.

Ils l'ont tout de même appris bien assez tôt, et pas de la bouche de leur fille.

De retour à la maison, le père de famille a pris un message sur la boîte vocale de son téléphone cellulaire. C'était un détective. Son fils était à l'hôpital, après un grave accident de la route alors qu'il était en voiture avec Mark. La Cadillac SRX offerte par Guy Lafleur à son cadet était totalement détruite.

C'était sur l'autoroute 40, au niveau du boulevard Cavendish, à Montréal. Selon la sergente-détective Josée Gagnon de la police de Montréal, la SQ avait, juste avant l'accident, attrapé sur radar la Cadillac de Lafleur à une vitesse oscillant entre 160 et 180 km/h. Et il buvait au volant. De l'alcool pur à 94 %.

Lafleur avait perdu le contrôle de sa voiture qui a fait un tonneau et a percuté le muret de béton au centre de l'autoroute.

En route vers l'hôpital, Cassandra a appelé Lise Barré-Lafleur, qui l'informa du fait que les trois jeunes, dont son frère de 15 ans, n'étaient pas très sérieusement blessés. Heureusement.

N'empêche que quand elle a vu son frangin sur son lit d'hôpital, couvert de sang, elle s'est mise à pleurer.

« Maintenant, c'est assez. Il faut qu'il réalise qu'il a un méchant problème », s'est dit Cassandra. Elle a tenté de téléphoner à Mark, qui avait déjà eu son congé de l'hôpital. Elle lui a laissé un message, et c'est sur le téléphone de Rosie qu'il rappela un peu plus tard.

« Cassandra ne veut plus te parler. On s'en va voir la police », lui a-t-elle annoncé.

Après des années de souffrance, des années à protéger Mark, qu'elle croyait capable de changer, capable d'être aussi doux qu'à leurs débuts, Cassandra décida enfin de le dénoncer.

Avec son amie Shyla, elle s'est présentée au poste de police à 23 h ce soir-là, pour raconter tout ce qu'elle avait vécu à la sergente-détective Gagnon.

C'est une jeune fille nerveuse, mais en apparence soulagée, qui a vidé son sac ce soir-là. Mais ce n'était pour elle que le début d'une autre longue et pénible aventure, celle des interminables procédures judiciaires et des confrontations avec son amant et bourreau lors de ses passages au palais de justice de Montréal.

8
L'ACCUSATION

Jeudi 1er février.

Lise et Guy Lafleur faisaient les cent pas dans une chambre d'hôtel au centre-ville de Montréal. Les derniers mois avaient été un vrai cauchemar. Malgré toutes les épreuves qu'ils ont traversées au cours de leur vie, rien ne s'est approché de l'enfer dans lequel ils étaient plongés depuis qu'ils savaient que leur fils était dépendant au crack et que cela le rendait violent avec sa petite amie, Cassandra.

Et ce n'était qu'un simple aperçu de ce qui s'en venait.

Car, s'ils étaient dans cet hôtel du centre-ville, tout près du palais de justice de Montréal, c'est qu'ils attendaient un appel. Un appel éventuel qui devait les obliger à foncer vers le palais si jamais l'avocat de leur fils, Me Jean-Pierre Rancourt, requérait leur présence.

S'ils ne se sont pas d'emblée présentés au palais, c'est qu'ils savaient que des dizaines de journalistes, de cameramen et de photographes étaient sur place et souhaitaient bien croquer leur mine inquiète et déconfite. Ils ont toujours fait face à la musique. Guy Lafleur ne s'est jamais défilé, n'est jamais sorti par la porte arrière pour éviter les questions des reporters, a toujours dit franchement ce qu'il pensait. Il a répondu dans sa vie aux questions les plus embarrassantes et mis dans l'eau chaude des tonnes de personnes par ses réponses directes.

Mais, cette fois, c'en était trop. Du moins, pour l'instant. Il leur fallait réfléchir. Et les couloirs du palais de justice n'étaient peut-être pas l'endroit idéal pour aller se confier à livre ouvert.

Pendant que les parents tournaient en rond dans leur chambre d'hôtel, leur fils Mark était enfermé dans une cellule dans les sous-sols du palais de justice, cette grande tour de béton et d'acier noir, froide et laide, qui défigure le Vieux-Montréal.

Il avait été arrêté la veille, en fin de soirée, après avoir causé un accident de la route alors qu'il roulait comme un fou sur l'autoroute 40 avec à son bord le frère cadet de Cassandra, âgé de 15 ans. Cet accident avait choqué son ex-petite amie au point qu'elle a pris la décision de ne plus protéger Mark. Elle a rencontré la police et a raconté avoir subi de Mark Lafleur les pires sévices pendant les trois dernières années.

Les accusations portées contre Mark ce jour-là étaient on ne peut plus sérieuses.

Plusieurs chefs d'accusation de voies de fait, de séquestration et de menaces de mort à l'endroit de Cassandra. Il était aussi accusé de voies de fait, de menaces de mort et de méfait relativement à l'épisode de rage au volant au cours duquel il s'en était pris à un chauffeur d'autobus de la Société de transport de Montréal au mois de décembre précédent.

Mais, les pires accusations pour lesquelles les Lafleur sont littéralement tombés des nues, c'étaient celles d'agressions sexuelles. Cassandra a affirmé aux policiers, mais pas dans son interrogatoire vidéo de la veille, qu'à trois reprises, Mark l'a forcée à avoir des relations sexuelles pour lesquelles elle n'était pas consentante. Accusations dont il sera acquitté au terme de son procès, plus d'un an plus tard.

Ce jeudi 1er février donc, Mark allait comparaître devant le juge Robert Marchi pendant quelques secondes, en salle 3.07. Chaque jour, la procédure dans cette salle est la même.

À 14 h 30, des dizaines de détenus arrêtés la veille y sont officiellement mis en accusation. Des violeurs, des tueurs, des fraudeurs comme Vincent Lacroix, ou de simples itinérants trouvés ivres sur la voie publique, victimes de la désinstitutionnalisation – qui devraient être pris en charge par le système de santé plutôt que par le système judiciaire

– défilent à vitesse grand V dans le box des accusés. On ne met que quelques secondes à plaider non coupable la plupart du temps. Ceux qui n'ont pas d'antécédents criminels ou dont le crime n'est pas trop grave sont parfois libérés sur-le-champ, moyennant différentes conditions énumérées par les procureurs aux poursuites criminelles et pénales. Ceux qu'on appelait anciennement les procureurs de la Couronne. Caution, dépôt en argent, engagement à ne pas consommer de drogue ou d'alcool, à ne pas posséder d'arme, à remettre son passeport, à garder la paix et à ne pas changer d'adresse sont les conditions généralement imposées d'emblée à ceux qui sont libérés.

La plupart de ces accusés sont sans le sou et n'ont pas eu le temps de se trouver un avocat depuis leur arrestation la veille. À ce stade, donc, l'avocat de l'aide juridique de garde les représente bien souvent.

Mais, la plupart d'entre eux voient leur dossier reporté au lendemain ou à plus tard pour que se tienne l'enquête sur remise en liberté à laquelle tous les prévenus ont droit.

À cette étape embryonnaire du processus judiciaire, les juges ne font pratiquement office que de spectateurs, intervenant seulement lorsque la remise en liberté est contestée ou qu'un détenu encore ivre, atteint de troubles mentaux ou carrément effronté ne fasse quelque esclandre lorsque son tour arrive. Les greffières, elles, en ont plein les bras de dresser le procès-verbal de chaque comparution, compilant les conditions imposées et les autres détails de la cause.

C'est ainsi que s'amorce le long parcours judiciaire de tout accusé arrêté, puis détenu. Il devra repasser en cour à d'innombrables occasions, pour de simples remises de son dossier, pour son enquête préliminaire, pour des conférences préparatoires et, éventuellement, pour un procès.

À l'heure des comparutions, la salle 3.07 est généralement peuplée de proches des accusés et d'une foule d'avocats vêtus de leur longue toge noire, représentant leur client ou espérant s'en trouver de nouveaux.

Mais, ce jour-là, la salle débordait de journalistes, comme c'est parfois le cas lors de comparutions de suspects célèbres ou d'accusés de crimes hautement médiatisés. Cette fois, on voyait dans la salle des têtes inhabituelles : des journalistes sportifs, rarement vus dans les tribunaux en temps normal.

On a fait comparaître Mark parmi les premiers.

Dans le box des accusés, il semblait absent, sur une autre planète, amorphe.

C'est au cas où Me Rancourt avait entrevu la possibilité de faire libérer immédiatement le jeune Lafleur, moyennant une caution versée par ses parents, que Lise et Guy Lafleur se tenaient prêts à se rendre en quelques minutes au palais de justice.

Mais, vu la gravité des accusations déposées, il était hors de question que la Couronne le laisse sortir, et sa cause a été remise à plus tard.

« Dans son état d'esprit, il ne comprend pas qu'il puisse être accusé », avait déclaré Me Rancourt aux journalistes au sortir de la salle d'audience.

Le plaideur de Sherbrooke annonçait déjà ses couleurs et la possible défense qu'il entrevoyait assurer à Mark pour son procès.

« Il a le syndrome de Tourette. Ça lui occasionne des problèmes. Sa maladie fait qu'il explose parfois, qu'il a des colères pour rien. Il arrive que les gens en aient peur, c'est un grand et costaud bonhomme », poursuivait l'avocat.

Il résumait ensuite l'état d'esprit dans lequel se trouvaient les parents Lafleur qui faisaient le pied de grue dans leur chambre d'hôtel.

« J'ai parlé à son père, et sa famille est dévastée. Ils ont tellement essayé de l'aider, entre autres en le faisant travailler dans leur restaurant de Berthierville. Il a eu des problèmes à l'école, il est suivi par un psychiatre et la plupart des thérapies ont échoué. »

Me Rancourt est reconnu pour ne pas être avare de commentaires pour les journalistes. Ainsi, au jour 1 de la cause de Mark Lafleur, il dévoilait sa stratégie de défense et tous les facteurs atténuants à la cause de ce fils de célébrité. Il ajoutait, au sujet de la crédibilité de la jeune plaignante, qu'il était étonnant qu'elle soit restée tout ce temps avec son client si elle était victime de tels sévices.

Selon lui, la détention provisoire de Mark était même une bonne chose. Elle allait permettre à ses parents de décompresser. Quant au jeune homme, elle lui permettrait d'obtenir les soins dont il avait besoin. Il allait effectivement être envoyé quelques jours plus tard en évaluation psychiatrique pour un mois au centre hospitalier universitaire de Sherbrooke.

Il faut dire que Me Rancourt parlait ici en connaissance de cause, au sujet de Mark, de ses problèmes et de l'état d'esprit de ses parents.

Car, cela faisait déjà près de 25 ans que l'avocat et l'ex-vedette du hockey s'étaient liés d'amitié. C'est lui qui avait fait acquitter Guy Lafleur, accusé de braconnage en 1983, après un procès théâtral subi au palais de justice de Lac-Mégantic. Lafleur était arrivé à son procès en limousine, selon l'idée de Georges Guilbault, de la compagnie de bâtons de hockey Sherwood, lui aussi acquitté en même temps que Lafleur. Son arrivée fit sensation dans le village. Le palais de justice était dans le même immeuble que l'hôtel de ville. Avant de se présenter devant le juge, *Flower* avait fait un détour par le bureau du maire pour signer le livre d'or de la municipalité…

À l'époque, la légende entourant le hockeyeur qui jouait toujours pour le Canadien avait fait son effet devant le tribunal. Quand la vedette était entrée dans la salle de cour, le juge s'était levé, impressionné. Habituellement, c'est le public qui se lève à l'entrée en scène du juge ! Celui-ci avait même demandé à l'avocat de Lafleur, après avoir acquitté ce dernier, s'il accepterait de signer pour lui deux *posters*. C'est Me Rancourt lui-même qui confiait ce détail au quotidien sherbrookois *La Tribune* à l'automne 2008.

Un tel scénario serait évidemment impensable aujourd'hui. C'était une autre époque.

La nôtre est celle d'Internet et des chaînes d'informations télévisées et radiophoniques en continu. La nouvelle de la mise en accusation du fils du Démon blond, de cette icône québécoise, ouvrait donc tous les bulletins d'informations, quelques minutes à peine après le passage en cour de Mark Lafleur.

Évidemment, plusieurs journalistes ont tenté de joindre le Démon blond, ce jour-là, pour obtenir ses commentaires. En vain. Pour une rare fois dans sa vie, ce fut le silence radio pendant longtemps. En fait, ses premiers commentaires sur toute cette affaire ne viendront que quelques mois plus tard.

Le type de couverture et l'importance à donner à cette nouvelle de la mise en accusation du fils de Guy Lafleur ont cependant fait l'objet de débats dans les salles de rédaction des journaux de la métropole. Les journalistes affectés à la couverture des nouvelles générales étant généralement habitués de tout révéler sans ménagement, et avec détachement, y voyaient une nouvelle d'intérêt public. Il est toujours intéressant et important de voir comment l'appareil judiciaire traite les cas aussi singuliers que celui de Mark Lafleur. Parce qu'il souffre de troubles mentaux. Et surtout parce qu'il est le fils d'une personnalité mythique. La justice traite-t-elle de la même façon les grands et le « vrai monde » ?

Les vétérans de la section sportive étaient plus divisés. Plusieurs d'entre eux suivaient pas à pas la vie de Lafleur depuis quelques décennies déjà. Ils ont pris l'avion et l'autobus avec lui, ont pris quelques verres à sa table. Lafleur n'a jamais été chiche envers eux, n'a jamais refusé de répondre à la moindre de leurs questions, même les plus tordues. Lafleur, au fil de sa carrière, s'est lié d'amitié avec certains journalistes et commentateurs sportifs, comme Claude Quenneville et le regretté Claude Larochelle du *Soleil*, à Québec.

Pour eux aussi, Guy Lafleur est une icône. Il n'y a rien d'incompréhensible là-dedans. Si le malheur avait frappé la famille de presque n'importe quel autre joueur du Canadien, présent ou ancien, la réaction aurait été bien différente. Il n'y a pour cela qu'à voir la couverture médiatique entourant l'implication des frères Sergei et Andrei Kostitsyn en marge d'une enquête sur le crime organisé, à Montréal à l'hiver 2009, pour s'en convaincre. Ils ont été traités sans la moindre complaisance, autant par les reporters aux faits divers que par ceux des sports.

Au lendemain de cette mise en accusation de Mark Lafleur donc, beaucoup de textes dans les journaux, mais presque rien dans les sections sportives.

Pour le professeur à la faculté de droit de l'Université de Montréal, Me Pierre Trudel, cette couverture était tout à fait normale et sans excès.

« L'histoire de son fils appartenait au domaine public. Il n'est pas le fils de n'importe qui. Ça a de très gros avantages d'être le fils de quelqu'un de célèbre. Mais ça a aussi des inconvénients. Ça fait partie de la nature même de la célébrité. Les médias ne peuvent pas juste parler des célébrités quand tout est beau et merveilleux. Il faut aussi parler des moins bons moments. Ça fait partie de la vie quand on devient une personne publique », analyse celui dont l'enseignement porte particulièrement sur le droit des médias, le contrôle des contenus diffusés par les médias et l'atteinte à la vie privée.

Pour lui, le public ne pardonnerait tout simplement pas aux médias de ne pas tout dire sur la vie d'une personnalité aussi en vue que Guy Lafleur.

Malgré cette explosive couverture qui fit suite à la mise en accusation de Mark, les choses se sont calmées rapidement pour les Lafleur. Le fils était détenu en institution psychiatrique à Sherbrooke et Cassandra semblait sortie de sa vie pour de bon.

Lise et Guy Lafleur sont allés le visiter à quelques reprises à Sherbrooke et ont pu constater que cette détention préventive lui faisait du bien. Amaigri par sa consommation effrénée de crack, il n'était plus que l'ombre du grand et costaud gaillard lors de son arrestation. Il reprenait petit à petit du poids.

La prochaine étape du processus judiciaire arriva le 8 mars 2007. Mark était de retour de son évaluation psychiatrique. Il était jugé apte à subir son procès et s'amorça l'enquête sur la remise en liberté du jeune homme alors âgé de 22 ans. Une étape au cours de laquelle le juge doit déterminer si l'accusé présente un risque socialement acceptable si libéré en attente de la conclusion de son procès.

Cette fois, pas question pour Guy Lafleur de poireauter dans un hôtel. Fidèle à lui-même, il était à ce moment prêt à monter aux barricades pour son fils, à être en première ligne de ce combat à mener pour le soutenir.

Il s'est présenté tôt au palais de justice de Montréal. Il était seul, car Me Jean-Pierre Rancourt avait alors conseillé à Lise Barré-Lafleur de rester chez elle. Elle vivait cela comme une terrible épreuve. Il ne faut surtout pas oublier que son drame n'a pas commencé quand le Québec tout entier a appris dans quel enfer était plongé son fils. Pour elle, cela durait déjà depuis plusieurs mois.

C'est donc tiré à quatre épingles, droit comme un chêne et la tête haute que Lafleur a fait son entrée dans la salle d'audience. Pas question pour lui de regarder par terre. À défaut de commenter l'affaire, il montrait qu'il était impliqué et bien déterminé à mener ce nouveau combat que la vie lui imposait.

La preuve présentée tant par la Couronne que par la défense fut ce jour-là frappée d'une ordonnance de non-publication. Une procédure habituelle à ce stade du processus judiciaire. C'est qu'on y présente généralement les grandes lignes de la preuve contre le suspect. On veut ainsi éviter qu'avant même le début du procès, le public soit informé de tous les faits du dossier, ce qui pourrait rendre difficile la sélection d'un jury impartial dans les cas où l'accusé choisissait d'être jugé par ses pairs. Cette ordonnance tombe d'elle-même à la fin des procédures.

C'est au juge de la Cour du Québec, Robert Sansfaçon, que fut attribué le dossier Lafleur pour cette étape des procédures.

La procureure aux poursuites criminelles et pénales, Me Sophie Lavergne, fit d'abord entendre la sergente-détective Josée Gagnon qui vint résumer les confidences que lui avait faites Cassandra le 31 janvier – qui sont amplement décrites dans les pages précédentes.

Me Rancourt souhaitait faire libérer Mark Lafleur moyennant de sévères conditions, dont celle de demeurer dans une maison de thérapie pour toxicomanes.

À cette fin, il fit témoigner le responsable d'une maison de désintoxication. Toutefois, le témoignage le plus attendu était évidemment celui du célèbre père de l'accusé.

Pour la première fois, Guy Lafleur racontait publiquement l'enfer que fut la vie de sa famille depuis le tout jeune âge de Mark. Questionné par Me Rancourt, il parlait des problèmes de comportement, des problèmes scolaires et des problèmes de drogue de son fils. Il décrivait comment il avait appris que son fiston prenait du crack et qu'il était violent avec Cassandra.

Il implorait le juge de libérer son fils moyennant des conditions strictes, comme subir une thérapie. Il souhaitait le voir dans une maison bien particulière, Narconon, dont la méthode diffère des centres de désintoxications accréditées par le tribunal.

« Mark est très vulnérable, très naïf, je veux qu'il aille dans un endroit où il va mettre les chances de son bord... Je veux qu'il s'en sorte et ne retouche pas à ça », a conclu le père.

Le contre-interrogatoire de Me Lavergne fut bien évidemment beaucoup plus serré. Celle-ci l'a cuisiné avec acharnement, surtout sur ses compétences parentales. Pourquoi n'a-t-il jamais appelé la police sachant que Cassandra et Mark n'avaient pas le droit de se voir ? Pourquoi n'a-t-il jamais coupé les vivres à son fils qui ne respectait aucune règle ?

Stoïque, Lafleur a fait face à ce barrage de questions embarrassantes avec candeur.

« J'ai très confiance en Mark. On essaie d'aider les personnes au maximum et de leur donner les outils nécessaires pour qu'ils puissent s'aider. On est tous faible à un moment donné dans la vie et on peut manquer d'un paquet de choses. Oui, il y a une volonté de réussir, mais, lorsqu'on est déjà faible en partant, c'est plus difficile, ça prend du temps avant de surmonter la côte », a-t-il réfléchi à voix haute, en guise de réponse aux questions insistantes de Me Lavergne.

Une semaine plus tard, le 15 mars, le juge Sansfaçon libérait le jeune Lafleur, moyennant plusieurs conditions. Son père dut alors s'engager financièrement pour une somme de 10 000 $. Si son fils brisait ses conditions, il ne reverrait pas cette somme. Quant à Mark, il devait s'engager à demeurer à la maison de désintoxication Dianova à Terrebonne et à en respecter les conditions. Il devait s'abstenir de communiquer avec sa victime, de consommer toute drogue et de posséder des armes à feu.

Il a passé environ quatre mois à la maison Dianova. Un séjour difficile, mais bénéfique, selon son père, qui est allé le voir à plusieurs reprises.

« Il était de meilleure humeur, on avait plus de plaisir ensemble en tant que famille », dit avoir constaté Guy Lafleur lorsqu'il a témoigné devant le même juge Sansfaçon en septembre suivant.

J'écrivais plus tôt que Guy Lafleur, contrairement à son habitude, a mis du temps à commenter ses malheurs et ceux de sa famille. Et aussi, que certains chroniqueurs sportifs étaient inconfortables avec la couverture mur à mur des premiers jours de l'affaire Mark Lafleur.

Alors qu'il était encore à l'emploi du *Journal de Montréal*, le vétéran chroniqueur sportif Bertrand Raymond a brisé la glace en nous pondant le 12 mai 2007 un papier humain et touchant comme il sait si bien le faire. Guy Lafleur venait de lui livrer une rare entrevue en ces temps troubles.

« Lise et Guy Lafleur ont passé des moments très difficiles quand Mark, leur fils de 22 ans, a été arrêté sous des accusations de voies de fait, de séquestration, de menace et d'agression sexuelle sur une mineure.

Lise, d'abord, parce qu'elle est une mère. Elle l'a porté, l'a couvé et l'a cajolé. Elle a tout fait pour le ramener sur la bonne voie quand il a commencé à démontrer des signes inquiétants.

Guy est un père qui, dans ce cas bien précis, a payé cher le prix de sa célébrité. Il a dû parader au palais de justice sous le feu nourri des caméras. Il était là pour appuyer Mark, mais c'était toujours lui qu'on retrouvait dans la photo.

Il a même dû le défendre durant une bonne heure en cour. Il avoue être sorti de là épuisé, lui qui ne l'était pas toujours après un septième match de la coupe Stanley », écrivait Raymond, qui citait quelques commentaires du principal intéressé.

« Je ne pensais jamais me retrouver là un jour, avec toutes ces accusations pesant contre mon fils », disait-il au chroniqueur.

« Cette expérience a été un véritable exercice d'humilité pour la famille et pour lui. Lafleur était surtout mal à l'aise. Devant le juge, il revoyait toutes les chances qu'un enfant comme le sien avait obtenues dans la vie. Il se demandait pourquoi Mark ne les avait pas saisies. Il n'arrivait pas à comprendre pourquoi il n'avait fait aucun effort pour se sortir de là quand il était empêtré dans ses problèmes et qu'on tentait de l'aider », reprenait Bertrand Raymond.

Il rapportait que si Lise Barré-Lafleur réagissait particulièrement mal aux accusations portées contre son fils, Guy Lafleur, lui, s'accusait en partie pour le dérapage de leur fils.

« Lafleur avoue ses torts. Quand Lise disait non à Mark, c'était non. Guy, lui, pliait devant son fils. Il le faisait, croyait-il, pour l'empêcher de tomber plus bas encore. Il tentait d'éviter qu'il lui arrive quelque chose de fâcheux, mais ça s'est produit quand même.

En agissant de la sorte, je n'aidais ni Lise ni Mark, déclare-t-il. *Elle me le disait souvent, d'ailleurs. Quand je regarde en arrière, ça me fait vraiment suer d'avoir embarqué dans ce jeu-là* », admettait le célèbre père.

Le chroniqueur décrivait les angoisses constantes que vivaient les parents Lafleur depuis plusieurs années. Leurs nuits d'insomnie à se demander si leur fils se tuerait au volant des luxueuses voitures que lui avait offertes son père, et qu'il conduisait à un train d'enfer.

« Il se faisait arrêter fréquemment pour des excès de vitesse. Il passait outre aux arrêts obligatoires. Il envoyait les policiers chez le diable. Il conduisait sous l'emprise de la drogue et de l'alcool. En bousillant sa vie, il a détruit plusieurs voitures au passage.

Tu n'as pas toute ta tête quand tu es drogué, mentionne Lafleur. *J'avais beau lui répéter qu'il ne pouvait pas constamment défier l'autorité et qu'il ne gagnerait jamais à ce jeu-là, ça ne changeait rien. À 20 ans, il raisonnait comme un enfant de 12 ans. Il disait que mon nom allait toujours lui permettre de le sortir de là. On peut contester un ou deux billets d'infraction, mais pas 10 ou 12. Ce n'est pas parce que ton nom est Guy Lafleur qu'ils vont fermer les yeux sur tout* », lisait-on encore dans ce papier.

Lafleur déclarait toutefois entrevoir une lueur d'espoir. Son fils suivait sa thérapie et s'améliorait. Il était plus heureux et gagnait en maturité selon lui.

« Après son arrestation, il ne semblait pas conscient du gouffre dans lequel il se retrouvait.

En sortant d'ici, je VEUX une Cadillac Escalade, avait-il dit à son père.

Lafleur lui a fait comprendre que c'était terminé, les voitures luxueuses. Il devra faire l'achat d'une minoune. Ce sera à lui, grâce à l'argent qu'il aura amassé en travaillant, d'améliorer son sort par la suite », poursuivait M. Raymond.

Heureusement, terminait Lafleur, le discours de son fils changeait depuis son arrestation et son placement en maison de thérapie. Il n'était plus constamment en train de demander des choses et réalisait que tout n'est pas gratuit dans la vie.

« Ton enfant reste ton enfant. Je sais qu'il y a des choses qu'on peut faire pour Mark.

On va lui fournir les outils pour qu'il s'en sorte », promettait Lafleur.

Forts de ce bel espoir, les Lafleur s'attendaient à ce que les choses aillent en s'améliorant. Et non pas l'inverse, comme ce fut le cas.

9
Les thérapies

Le séjour à Dianova était bénéfique, mais il manquait quelque chose dans le programme de Mark. Ainsi, il demandait à la Cour, le 6 juillet 2007, la permission de poursuivre ses progrès vers le droit chemin à la maison l'Exode qui, elle, se spécialise surtout dans la réinsertion sociale des toxicomanes. Encore une fois, Guy Lafleur se présentait à la Cour pour témoigner en faveur de son fils. Ce dernier semblait décontracté, était bien mis et portait même dans le palais de justice ses grosses lunettes fumées à la mode du moment. Il semblait en effet mieux dans sa peau qu'au jour de sa mise en accusation.

Le juge Sansfaçon accepta qu'il change de maison et qu'il emménage à l'Exode, dans le quartier Centre-Sud de Montréal.

Pendant le séjour de Mark à l'Exode, le bon ami de son père, Eugène Arsenault, lui a encore donné une chance de prouver le sérieux de sa réhabilitation et l'a réembauché chez Ganotec. Cette fois, c'est en transport en commun qu'il faisait le long trajet vers le boulot matin et soir, et pas en Cadillac.

Si Eugène Arsenault était satisfait du travail du fils de son bon ami, tout ne se passait pas aussi bien dans la maison l'Exode.

Ça se passait même très mal selon l'intervenant de la maison, Steve Rondelli, selon qui Mark Lafleur a rapidement démontré « une volonté de ne pas participer » aux ateliers imposés par son programme de réinsertion sociale. Il a même littéralement abandonné le suivi individuel auquel il devait se soumettre et se montrait parfois même hostile aux tentatives des intervenants pour le ramener dans le droit chemin. Pour obtenir sa libération en mars dernier, Mark avait dû s'engager, entre autres, à respecter les règlements de l'établissement. Mais, ça laissait à désirer selon M. Rondelli, surtout en ce qui a trait au rangement de sa chambre, qui était constamment sens dessus dessous.

S'ensuivit une situation plutôt étrange. Le 20 août, la direction de l'Exode interrompit le programme de Mark. Quelques jours plus tard, son avocat, Me Jean-Pierre Rancourt, déposait à la Cour supérieure une requête demandant à ce que ses conditions de libération soient modifiées pour lui permettre de quitter l'Exode et aller vivre en permanence chez ses parents à l'Île-Bizard.

Dans cette requête, Lafleur affirmait que son séjour dans cette maison n'était plus une nécessité, et que les intervenants étaient d'accord.

Le hic, c'est que ces derniers avaient mis fin à son programme après en être arrivés à un constat d'échec avec le jeune homme et non pas parce qu'il n'avait plus besoin de suivi.

Néanmoins, la requête du clan Lafleur devait être entendue par la Cour supérieure le 19 septembre.

Sauf qu'entre-temps, Mark Lafleur a de nouveau été arrêté.

C'était le matin du 14 septembre. La maison avait avisé la police du fait que Lafleur ne respectait pas ses conditions de remise en liberté, car il n'obéissait pas aux règlements de l'Exode, en matière d'ordre et d'implication dans son programme de réinsertion. À l'aube, des enquêteurs se sont rendus sur place pour le mettre en état d'arrestation.

Après le départ du jeune homme avec les policiers, un ménage de sa chambre a été effectué. Les intervenants de l'Exode ont trouvé des revues pornographiques, interdites par la maison, et une pince multifonction, ce petit outil fort populaire dans le domaine de la construction et du plein air, dont la poignée est munie de divers gadgets, tournevis, clé Allen, lime et lame.

Ainsi, en plus d'être accusé de bris de conditions pour avoir dérogé aux règlements de l'Exode, il était aussi accusé de ne pas avoir respecté la condition de ne pas posséder d'armes, même si ce petit couteau lui avait été remis par Ganotec et qu'il lui servait à effectuer son travail.

Emprisonné de nouveau, Mark devait revenir devant le même juge Sansfaçon, le 19 septembre suivant, pour y être accusé de ces nouveaux chefs et demander, encore une fois, d'être libéré provisoirement.

Pour un simple outil de travail, en apparence inoffensif, et pour ne pas s'être assez impliqué dans son programme de réinsertion, Mark Lafleur allait forcer son illustre père à venir s'humilier devant juges, avocats et journalistes.

Cette fois, ce serait pire encore que la médiatisation qui a suivi la mise en accusation de son fils, le 1er février 2008.

10
Les deux témoignages de Guy Lafleur

La suite de la saga allait déchaîner les passions au Québec. Dans le public, et chez les chroniqueurs aussi. Et pas uniquement chez les chroniqueurs sportifs.

Si on s'arrête un instant pour repenser à tout ce que Guy Lafleur avait traversé au cours des dernières années jusqu'au fameux témoignage qu'il devait livrer devant le tribunal ce 19 septembre, il devient plus facile de comprendre ce qui s'y est passé et à quel point Guy Lafleur pouvait être tourmenté, troublé, déboussolé.

Il y a d'abord eu les multiples échecs scolaires de son fils, cet échec du système aux yeux de l'ex-hockeyeur. Il y a eu ces échecs sportifs dus à ses divers troubles et à sa médication qui l'assommait, et qui ont achevé de démoraliser le jeune homme, qui s'est alors mis à s'entourer des pires amis. Les sautes d'humeur liées à son syndrome de Gilles de la Tourette et à son hyperactivité. Les innombrables visites chez des médecins et d'autres spécialistes du comportement et de la santé mentale. Puis, cette surdose de drogue et cette relation qui n'a eu de cesse de s'envenimer entre Mark et Cassandra. Au point où la police est venue chercher la jeune fille à Berthierville dans les débuts de leur relation. Au point où Mark a vendu presque tous ses biens chez le prêteur sur gages et a réclamé des dizaines de milliers de dollars à son père pour se payer ce sale crack auquel il était accroché. Cette violence, qui a fini par gagner le couple dans les derniers mois et qui a forcé les parents Lafleur à intervenir, à tenter de raisonner les deux jeunes et à manigancer dans leur dos un plan pour les séparer. Plan qui a échoué puisque les deux jeunes se sont retrouvés aussitôt. Et enfin, cet accident de la route et cette arrestation de Mark ultra-médiatisée.

On a souvent dit de Guy Lafleur qu'il a été le dernier « vrai » guerrier du Canadien, un dur de dur, un coriace. Il a joué au hockey des années durant sans porter de casque et n'a jamais été sérieusement blessé malgré les mastodontes qui, comme John Wensink pendant les séries de 1979 à Boston, avaient juré d'avoir sa peau coûte que coûte. Il a connu des années de misère en début de carrière, il a été l'objet d'un complot d'enlèvement, il a failli mourir dans un accident de la route après une soirée dans les bars avec des amis, il a rompu avec Lise et a vu la presse rapporter les moindres détails de cette brève rupture et de sa liaison avec une chanteuse célèbre de l'époque. Il a été accusé de braconnage, puis acquitté. Il a même déjà vu le fisc mettre le nez dans ses états financiers, ce qui n'est jamais bon signe. Il a pris une retraite non désirée et indigne du grand joueur qu'il fut à la suite d'un conflit ouvert avec l'état-major du Canadien, Jacques Lemaire et Serge Savard, deux ex-coéquipiers, pourtant. Puis, il est revenu au jeu à 37 ans, avec succès.

Toutes ces épreuves, il les a traversées la tête haute, avec panache. Il a tenu bon et est ressorti plus fort que jamais de chaque épreuve. Il ne s'est jamais défilé. Et, surtout, il a mené une carrière exceptionnelle, malgré tous ces coups de la vie. Ce qui fait qu'encore aujourd'hui, il est considéré comme un personnage mythique au Québec. Seuls des Maurice Richard et Jean Béliveau peuvent aspirer à faire partie du même club que Lafleur dans l'imaginaire collectif des Québécois.

Mais, tous ces défis spectaculaires n'étaient que de la petite bière comparés à ce que vivaient les Lafleur depuis quelques années, et à ce qui s'annonçait pour les mois à venir devant le tribunal. Lise Barré-Lafleur en a fait une dépression majeure. On peut la comprendre, après tout ce qu'elle a tenté pour aider son fils.

Quant à Guy Lafleur, difficile d'imaginer dans quel état d'esprit il pouvait se trouver ce 19 septembre. Comment un père de famille dépassé par les événements peut sortir de son chapeau une nouvelle idée pour aider son fils, alors qu'à ses yeux, il avait déjà tout fait et même un peu plus pour tenter de le sauver ?

Néanmoins, c'est encore avec dignité qu'il s'est amené au palais de justice de Montréal, ce jour-là, pour y supporter son fils accusé qui demandait la clémence de la Justice afin d'aller vivre chez son père en attendant son procès.

Sauf que cette fois, dès le début de son témoignage devant le juge Sansfaçon, on a senti combien tous ces événements déroutants pour ce père de famille éploré pesaient lourd sur ses épaules, combien il était épuisé, démoralisé, affaibli.

D'entrée de jeu, quand il a prêté serment, quand il a donné son nom, son adresse et sa profession à la greffière comme le fait chaque témoin devant s'adresser à la Cour, son ton avait changé. Il était dur et froid. Il donnait l'impression que le grand numéro 10, malgré sa prestance inébranlable, était brisé.

Répondant aux questions de l'avocat de son fils, Me Rancourt, il expliquait que, pendant le séjour de Mark à l'Exode, celui-ci passait souvent ses fins de semaine à la maison familiale de l'Île-Bizard. L'Exode le lui permettait, pour autant qu'il respecte certaines conditions. Il avait notamment un couvre-feu, à 23 h. Selon Guy Lafleur, son fils était sobre durant toutes ces fins de semaine.

« S'il avait pris de la boisson, je l'aurais sentie. Chose certaine, je ne peux pas passer la journée avec lui. Mais, dans ses yeux ça paraît une personne qui ne consomme pas », a-t-il expliqué, avant de s'engager, en son nom et celui de sa femme, à reprendre son fils chez lui et à le conduire chaque jour au travail à Montréal-Est, malgré tout ce que ça impliquait comme déplacement.

« On est prêt à aller le porter chaque matin et le reprendre tous les soirs, et faire respecter les heures d'entrées et les conditions. On veut le faire parce qu'on trouve que depuis huit mois il fait des efforts, des efforts énormes. Rome ne s'est pas bâtie dans une soirée. Ça prend du temps, on veut continuer à l'encourager, qu'il s'en sorte. En tant que famille, on a les capacités pour le faire », a-t-il plaidé.

Mais, le minutieux contre-interrogatoire de Me Sophie Lavergne s'est avéré beaucoup plus serré. Encore une fois, les compétences parentales de Guy Lafleur ont été scrutées à la loupe. Ce qui est de bonne guerre à cette étape des procédures où le juge doit déterminer si les garanties fournies par les parents sont suffisamment solides pour qu'il accepte de libérer un jeune accusé, et ce, même s'il est accusé d'avoir brisé les conditions d'une première libération.

D'abord, elle lui demanda s'il était au courant de la condition de non-possession d'arme imposée à son fils et s'il savait qu'il avait un couteau dans sa chambre. La fameuse pince multifonction.

« Pour moi, ce n'est pas un couteau, c'est un outil de travail. Il faut faire la part des choses », a sèchement rétorqué le père. « Il y a une lame à l'intérieur de tout un paquet d'outils, mais ce n'est pas une arme blanche », opinait-il.

Guy Lafleur racontait ensuite que, depuis l'arrestation de son fils, il avait dû considérablement changer de mode de vie et mettre un frein à ses activités à titre d'ambassadeur du Canadien de Montréal, qui le font voyager aux quatre coins de l'Amérique du Nord. Pas par obligation, mais par choix. Pour être auprès de Mark et de son épouse en ces temps difficiles.

« J'essaie de passer énormément de temps ici. 99,9 % de mon temps, je le passe à Montréal. Les voyages, si je pars le matin, je reviens le soir et mon épouse est toujours là », expliquait-il.

Les fins de semaine que Mark passait chez lui, ils allaient parfois à Berthierville quand les Lafleur y travaillaient, parfois ils allaient magasiner, et parfois aussi, il conduisait Mark chez sa nouvelle copine et allait l'y rechercher en fin de journée, jura-t-il.

Une copine qu'il disait avoir rencontrée, avec sa famille. « Une très bonne famille », précisa Lafleur.

Puis, arriva le moment fatidique, où on lui parla du couvre-feu que devait respecter Mark les vendredis et les samedis qu'il passait chez ses parents.

« Il est toujours rentré aux heures auxquelles il devait rentrer », a affirmé Lafleur.

« Étiez-vous toujours là quand il revenait à la maison ? demanda Me Lavergne.

– Oui. Mon épouse aussi était là, répondit-il. De toute façon, j'allais le chercher. Il m'appelait pour aller le chercher », ajoutait-il après une courte pause.

Quelques minutes plus tard, le juge Sansfaçon rendait sa décision. Une décision à laquelle ne s'attendaient ni la défense ni la Couronne.

Il libéra Mark sous condition relativement aux nouvelles accusations portées contre lui. Mais, dans le dossier principal, celui de menaces, de voies de fait, d'agression sexuelle et de séquestration à l'endroit de Cassandra, il devait le maintenir en détention puisqu'il semblait avoir brisé les conditions de libération qu'avait édictées le juge Sansfaçon au début de ce dossier.

Bref, le jeune Lafleur dut se résigner à demeurer derrière les barreaux. Son avocat en appela de cette décision devant la Cour supérieure. La Couronne aussi, car elle voulait le voir maintenu en détention dans tous les dossiers.

Le prochain rendez-vous était le 15 octobre, devant la juge Carol Cohen de la Cour supérieure, mandatée pour réviser la décision du juge Sansfaçon.

Pour le Démon blond, c'était un nouveau tour de piste qui s'annonçait. Bien malgré lui, il devenait un habitué des tribunaux.

Les déclarations de Guy Lafleur au sujet de la nouvelle copine, dans son témoignage du 19 septembre, intriguèrent la Couronne et l'enquêtrice responsable du dossier de Mark Lafleur, Josée Gagnon, qui amorça une nouvelle enquête en vue du prochain passage en cour de Mark.

Ainsi, elle retraça cette jeune fille, qui lui donna des informations qui allaient se révéler explosives et auxquelles Guy Lafleur serait confronté le 15 octobre.

Il ne se doutait de rien quand il s'est présenté devant la juge Cohen, afin, encore une fois, de témoigner de sa volonté et de son engagement à reprendre son fils chez lui, et à l'encadrer aussi étroitement que la Cour le lui ordonnerait. Mais, rapidement, le Démon blond s'est retrouvé dans une position qu'il n'a jamais aimé occuper, celle de la défensive.

Déterminée à faire tomber l'image du bon père de famille responsable que projetait Lafleur depuis le début des procédures, avec la mine satisfaite de celle qui s'apprêtait à porter le coup fatal de ce combat judiciaire, Me Sophie Lavergne a assené un double-échec fatal à Lafleur.

« Est-ce que Mark a respecté son couvre-feu chaque soir qu'il a passé chez vous à l'époque où il demeurait à l'Exode ?

– Il a respecté ce couvre-feu-là oui... À l'exception peut-être de deux reprises où il est allé dans un motel. Parce qu'il m'avait demandé la permission d'aller dans un motel. Il était en maison de réinsertion sociale où il devait réintégrer la société. Pour moi, c'était important qu'à 22 ans il ait une vie intime. J'ai essayé de l'aider au maximum de ce côté-là. Mais, lorsqu'il était à l'hôtel, il devait m'appeler au moment où il rentrait pour m'assurer qu'il rentrait à l'heure, a expliqué Guy Lafleur sur un ton hésitant.

– Est-ce que vous avez mentionné ça à la Cour lors de l'audition du 19 septembre ? a questionné Me Lavergne.

– Non. Je ne l'ai pas mentionné parce qu'on ne m'a pas posé la question », a justifié Lafleur.

Talonné par la procureure, le père de famille a persisté et signé. Son fils avait toujours respecté son couvre-feu chaque soir qu'il était chez lui. Et, même les soirs qu'il avait passés à l'hôtel, selon lui, son fils avait respecté son couvre-feu.

« Les journées où il est allé à l'hôtel, il m'a appelé. Il est rentré à l'heure et je savais où il était. Le lendemain matin, j'allais le chercher », a martelé Lafleur.

« Quelle est la raison pour laquelle vous nous mentionnez aujourd'hui qu'il est allé à l'hôtel ? a poursuivi Me Lavergne.

– Pour moi, premièrement, c'est parce que vous avez la preuve qu'il est allé à l'hôtel. Ça, c'est la première des choses, et je n'ai rien à cacher là-dessus », a répondu Lafleur. Il faisait référence au fait que la sergente-détective Gagnon avait plus tôt produit en preuve deux factures d'hôtel prouvant que Mark y avait couché.

Quelques jours plus tôt, elle avait récupéré au Holiday Inn, situé au 6700 de la route Transcanadienne à Pointe-Claire, deux reçus au nom de Mark Lafleur pour la nuit du 10 au 11 août, et du 11 au 12 août 2007. Elle a même les heures d'entrées et de sorties de Lafleur et de sa nouvelle copine de 16 ans. Le 10 août, il est arrivé à 15 h 42 et est sorti le lendemain à 10 h 54. Le 11 août, ils sont arrivés à 22 h 51 et sont restés jusqu'à 10 h 59 le matin suivant. Il avait aussi, durant une autre fin de semaine, passé une nuit dans un hôtel à Terrebonne avec la même jeune fille.

« Lorsqu'un jeune de 22 ans te demande la permission d'aller avec sa copine dans un hôtel, pour avoir plus d'intimité qu'à la maison, pour moi, c'est naturel de le faire. Je ne voyais rien de mal là-dedans. C'est la raison pour laquelle je l'ai laissé faire. Pour autant qu'il m'appelle pour me dire à quelle heure il était rentré. J'allais le chercher le lendemain. Comme il aurait pu y aller l'après-midi sans qu'il y ait de couvre-feu. Tout s'est bien passé, il n'a pas consommé. Pour moi, c'est de la réinsertion sociale et c'est important », a encore mentionné le père, poussé dans ses derniers retranchements par Me Lavergne.

Si cette question de nuit à l'hôtel peut paraître bien futile pour le commun des mortels, elle revêtait à cette étape une importance capitale. Car Guy Lafleur voulait aider son fils à être libéré de prison et souhaitait surtout convaincre la juge qu'il était suffisamment digne de confiance pour être libéré. Non seulement il sautait aux yeux de tous qu'il n'avait pas tout dit lors de son premier témoignage, mais en plus, il avait en quelque sorte donné sa bénédiction à son fils pour que celui-ci brise ses conditions de remise en liberté en découchant à deux reprises.

Était-ce un bris de condition très grave ? Probablement pas aux yeux de la population, qui appuyait fortement Lafleur. Mais la justice fait peu de compromis. Un bris de condition, aussi mineur soit-il, demeure un bris de condition. La juge Cohen allait rendre sa décision plus tard, le 5 novembre.

Ce mensonge ou cette omission du père de famille le plus adulé du Québec n'allait encore une fois pas manquer d'alimenter les médias.

Quelques jours plus tard, un journal hebdomadaire de Drummondville, *l'Express*, allait publier une touchante lettre s'adressant directement à Mark Lafleur, une missive qui est passée inaperçue des grands médias, écrite par une vieille connaissance de Guy Lafleur.

« C'est spécial pour moi et émouvant de voir mon idole, un chum, se lancer à l'attaque pour aider son fils… Je reconnais bien ton père, Mark. Ton père se tient droit. Sa franchise habituelle est bien présente pour t'aider et te venir en aide, comme seul lui en est capable. S'il y a un homme qui a travaillé fort toute sa vie et sous la pression, c'est bien lui, n'est-ce pas Mark ? Pour t'aider, ton père est prêt, j'en suis sûr, à jouer quelques prolongations pour gagner avec toi. Et tu sais autant que moi de quelle victoire je parle. De ton père, je conserve le précieux souvenir d'un homme disponible, généreux et humble à la fois. Guy est un homme de cœur et tu sais très bien qu'il est présentement bien présent à tes côtés. Je suis sûr qu'il souffre de l'intérieur. Beaucoup même. Mark, tu ne peux pas avoir meilleur ailier… meilleur allié que ton père pour jouer cette dure période de ta vie. Tu as la chance de démontrer à ton père que toi aussi tu la veux autant que lui, cette victoire sur toi-même. Joue-le ce match avec ton père. Guy Lafleur est un gagnant! Mark, ton père sait comment gagner. Il sera toujours là, à vouloir te remettre cette rondelle de la vie et être lui-même aux premières loges pour te voir marquer le but gagnant… ton but gagnant. Tu devras travailler fort lors de certaines séances d'entraînement de ta vie à venir. Et ce match que tu joues présentement avec Guy Lafleur, ton père, tu dois en sortir gagnant, Mark ! Ces quelques lignes, je te les offre, Mark. C'est ma façon de t'encourager. Ce n'est rien à côté de ce que tes parents font pour toi présentement. Ne l'oublie jamais. »

Ce témoignage, probablement le plus touchant rendu publiquement en faveur du père et de son fils depuis la mise en accusation de Mark, était signé de nul autre qu'Yves Saint-Cyr, ce fan inconditionnel et ami de Guy Lafleur. Celui-là même qui avait écrit en 2002 ce livre à la gloire du Démon blond, intitulé *Guy Lafleur, le dernier des vrais*[3].

Malheureusement, Guy Lafleur n'allait pas sortir gagnant de cette manche de la longue joute qu'était devenue sa vie. Et il allait même en sortir passablement amoché.

La juge Carol Cohen ne fut en effet pas tendre à l'égard des Lafleur père et fils dans son jugement du 5 novembre 2007. D'abord, contrairement à ce qu'il alléguait dans sa requête initiale, Mark Lafleur était dans l'erreur totale concernant sa prétention selon laquelle son séjour à l'Exode n'était plus requis. Au contraire, son programme de réinsertion sociale était un échec et la vis devrait être resserrée.

Selon elle, Mark Lafleur a fait l'erreur d'informer la maison l'Exode de ses nuits à l'hôtel alors qu'il devait résider chez son père. Il porte la responsabilité d'avoir contrevenu aux règlements de sa maison de thérapie.

3. 15 février 2002, Éditions Trait d'Union

Ensuite, sa demande d'aller vivre chez son père, sans autre alternative, n'a pu être retenue non plus « à la lumière de la tolérance du père, qui a servi de caution pour son fils, de son non-respect des règlements de l'Exode et du silence de l'accusé (Mark Lafleur) devant la Cour le 19 septembre au sujet de ses séjours à l'hôtel », tranche la juge Cohen.

Selon elle, renvoyer le jeune Lafleur chez ses parents à la lumière de ces faits nouveaux minerait la confiance du public dans l'administration de la justice.

Elle était certainement loin de se douter que c'est tout le contraire qui se produirait dans l'opinion publique.

Même s'il n'était alors accusé de rien, cette quasi-condamnation de Guy Lafleur par la juge Cohen fit le tour des médias québécois, canadiens, et même nord-américains.

« Le juge sermonne le père pour avoir permis à son fils de 23 ans (il avait en fait 22 ans) de violer son couvre-feu et briser ses conditions », titrait le *Toronto Star* au sujet de Lafleur.

« Guy Lafleur savait que son fils violait ses conditions de libération », lisait-on dans le *USA today*. On pouvait lire un titre quasiment identique sur le site Web de la chaîne sportive américaine ESPN.

Cette couverture intense et l'extrême notoriété de Guy Lafleur avaient d'ailleurs sérieusement influencé la juge Cohen selon l'avocat de Mark, Me Jean-Pierre Rancourt.

« C'est normal dans un cas comme celui-là que la juge soit plus prudente. Si c'était le fils d'un citoyen ordinaire qui était accusé, personne n'aurait été ici pour rapporter la décision », opinait-il devant les journalistes.

Une opinion que partageait le chroniqueur et blogueur vedette de *La Presse*, Patrick Lagacé, dont on se plaît à savourer ou à haïr les opinions.

« J'ai horreur de ces histoires de gens connus qui se retrouvent au bulletin de 18 h à cause de leurs proches, parce qu'on n'est pas toujours responsables des actes de ses proches, n'est-ce pas ? Et dans le cas de Lafleur, ça m'indispose encore plus parce qu'il s'agit d'une sorte d'idole de jeunesse. Et, un peu, d'idole d'adulte : cette faculté de dire les choses comme elles sont, de ne jamais se défiler, d'appeler un *puck* un *puck* et *fuck* le reste, ce n'est pas répandu, chez les sportifs. Lafleur la possède », écrivait-il le 6 novembre sur son blogue.

En effet, ce mensonge ou cette omission de *Flower* devant le tribunal au sujet des escapades nocturnes de son fils tranchait étonnamment avec la franchise qui a fait sa renommée. Une franchise qui l'a maintes fois mis dans le trouble, mais qui en a fait un monstre sacré pour le public qui a horreur de la langue de bois.

Lagacé dit qu'il aurait aimé ne pas avoir à parler de cette triste histoire. Mais, à la lumière des faits mis en preuve devant la juge Cohen, il s'est fait violence pour y aller de cette dure critique envers l'idole :

« Nous ne sommes pas responsables des conneries de notre frère, de notre cousin, de nos parents. Qu'on soit connu ou pas.

Mais des fois, si, peut-être un peu. Quand c'est ton fils, par exemple. Peut-être que t'en as une, responsabilité. (…) Mais à voir comment son père l'a aidé, stupidement, à se soustraire aux règles de sa remise en liberté, il ne faut pas être Einstein pour conclure que cet enfant-là, à 10 ou à 22 ans, ne s'est pas fait dire NON bien, bien souvent par ses parents. »

Et cette erreur de Lafleur, une erreur humaine, une petite erreur de jugement plutôt anodine aux yeux du grand public, il allait la payer très cher.

11
L'AFFRONT

Les mois qui suivirent permirent à Guy Lafleur de respirer un peu et de consacrer son temps à son nouveau projet. Début 2008, il vendait son *Mikes* de Berthierville à des amis et bâtissait un nouvel établissement, boulevard Curé-Labelle, à Rosemère.

Le *Bleu Blanc Rouge* était pour lui un ambitieux projet. Un bon *steak house*, un bar chic où les témoignages de la carrière du Démon blond et de la glorieuse époque du Canadien personnaliseraient les lieux. Un bel établissement, un très gros investissement de temps et d'argent pour les Lafleur.

Les avocats de Mark, eux, s'activaient aussi. Me Rancourt passait le dossier à son associée, Me Mia Mannochio, spécialiste des dossiers d'agressions sexuelles, qui s'est attelée à la tâche de préparer l'enquête préliminaire de Mark. Cette étape consiste à présenter à un juge l'essentiel de la preuve contre un accusé, afin que le magistrat décide s'il y a matière à citer l'individu à procès, et, si oui, selon quels chefs. Comme Mark demeurait détenu à la suite de sa seconde arrestation, Me Mannochio voulait faire vite. L'enquête était prévue pour les mois de mars et avril suivants. À peu près au même moment, au printemps 2008, aurait également lieu le procès de Mark devant la Cour municipale, relativement à cette bagarre survenue en décembre 2004 entre lui et le père de Cassandra, après que ce dernier eut embouti la voiture du jeune homme. Puis, les menaces de mort contre la mère de l'adolescente.

Mais ce n'était pas tout. La police de Montréal, elle aussi, dans l'ombre, s'était activée. D'une drôle de façon, toutefois, constaterons-nous plus tard.

Toujours est-il que la sergente-détective Françoise Fortin a été mandatée pour voir si les deux témoignages de Guy Lafleur, celui dans lequel il disait s'être assuré que son fils respectait toujours son couvre-feu, puis celui, plus tard, où il admettait qu'il avait accepté que son fils découche à deux reprises pour passer la nuit à l'hôtel avec une nouvelle copine, étaient incompatibles au point que des accusations soient déposées contre le père.

Pour tout observateur habitué des tribunaux, il est évident que le mensonge est omniprésent dans les divers témoignages que l'on entend chaque jour dans les salles d'audience. Cela survient souvent dans les causes de nature familiale, divorce et garde d'enfants ou dans les procès de grands fraudeurs, les juges sont abreuvés d'invraisemblances et de témoignages loufoques. Dans les procès liés au crime organisé, aussi. J'ai souvenir d'un accusé membre d'un violent gang de rue impliqué dans des fusillades à l'été 2008, qui expliquait à une juge incrédule que, même s'il n'avait aucun travail rémunéré et n'était pas bénéficiaire de l'aide sociale, il avait pu aller jouer au casino avec 9 000 $ comptant le jour de sa fête, argent gagné à la suite de la vente de son luxueux camion Cadillac Escalade. C'est sa copine « qui fait un travail légal », s'est-il empressé de préciser – travail qu'il n'est jamais arrivé à décrire par ailleurs – qui le faisait vivre, affirmait-il avec un sourire en coin. Il avait prêté serment sur la Bible, jurant de ne dire que la vérité... Disons que la juge semblait avoir bien du mal à gober ces prétentions. Mais l'accusé allait tout de même être acquitté de vol à main armée et séquestration. Même si ce n'est pas cet évident mensonge qui avait permis son acquittement, jamais ses dires n'ont été vérifiés et enquêtés, pour savoir s'il avait menti à la Cour. Il n'a ainsi jamais été accusé de parjure. Voilà un exemple bien simple, mais combien représentatif de ce qui se passe dans les palais de justice quotidiennement.

Dans ce dernier cas, l'acquittement de cet homme a signifié la remise dans la rue d'un dangereux truand.

On est à des années-lumière du cas de Guy Lafleur. Sauf que, peu importe ce que l'on peut penser de la gravité réelle de ce qu'il a fait, la contradiction entre ces deux témoignages était flagrante. La preuve était on ne peu plus simple à monter pour la police et la Couronne.

Ainsi, le 29 décembre 2007, alors que les Lafleur célébraient Noël et la nouvelle année pour la première fois sans Mark, la police recevait les transcriptions des deux témoignages litigieux livrés par Guy Lafleur.

La sergente-détective Françoise Fortin se faisait alors confier la mission de dénoncer Lafleur, sous des accusations d'avoir livré des témoignages contradictoires. Il s'agit d'une accusation de la même catégorie que le parjure, dont la punition maximale, selon le Code criminel du Canada, consiste en une peine de 14 ans de prison.

D'après mes sources, dans les semaines qui ont suivi, le dossier de Lafleur a cheminé dans les plus hautes instances du ministère de la Justice du Québec. Porter des accusations contre Lafleur causerait toute une commotion et on le savait bien.

Même s'il était clair que Lafleur n'était pas un truand, n'avait pas de casier judiciaire, n'était pas violent, ne posait aucun risque pour la société et ne risquait pas de s'enfuir sans laisser d'adresse, on mit de côté la possibilité de l'accuser par voie sommaire.

Cette voie procédurale consiste, pour la police, à rencontrer un suspect, à lui indiquer de quel crime il est suspecté et lui faire signer une promesse de comparution ultérieure pour être formellement mis en accusation. C'est la voie la moins contraignante pour un accusé, car la police ne peut ni le détenir ni lui imposer des conditions à respecter en attendant sa mise en accusation.

Mais c'est une méthode plus radicale qui a été choisie. C'est la procureure aux poursuites criminelles et pénales, Me Lise Archambault, qui a chargé la sergente-détective Fortin de faire émettre par le juge un mandat d'arrestation à l'encontre de l'ex-vedette du tricolore. Un mandat visé, comme un mandat d'arrestation régulier, permet aux policiers de mettre en état d'arrestation, aussitôt que possible, une personne suspectée d'un crime. À la différence du mandat standard, le mandat visé ne permet pas la détention du suspect jusqu'à sa mise en accusation. Mais, on peut toutefois lui imposer des conditions à respecter d'ici la comparution, comme de ne pas changer d'adresse, de ne pas quitter le pays ou de ne pas communiquer avec une victime.

La sergente-détective Françoise Fortin se présenta donc au bureau du juge Gilles Michaud le vendredi 25 janvier 2008. Elle lui expliqua que l'émission d'un mandat était importante pour deux raisons.

Premièrement, selon elle, le fait d'avoir livré des témoignages contradictoires est un acte criminel « pur » qui commande une lourde sentence et pour lequel il était impossible de fonctionner par voie de sommation. Ce qui était faux, apprendront plus tard à leurs dépens la Couronne et la police.

Deuxièmement, on devait agir vite pour que Lafleur cesse son comportement délictuel puisqu'il devait témoigner le 13 mars suivant à l'enquête préliminaire de son fils. On estimait devoir lui envoyer le message clair qu'il devait cesser de cacher des choses à la Cour…

« S'agit-il DU Guy Lafleur ? » demanda le juge à la policière, qui lui répondit par l'affirmative.

Puis, il signa le mandat qu'avait déjà rédigé la policière.

Personne, pas même le principal intéressé lui-même, ne sera mis au courant de l'existence de ce fameux mandat avant le mercredi suivant, le 30 janvier.

De façon plutôt surprenante pour celui qui ne connait pas les dessous des affaires judiciaires, ce sont d'abord quelques journalistes affectés à la couverture de l'actualité juridique qui découvrirent, à leur grande stupéfaction, l'existence d'un mandat d'arrestation contre Guy Lafleur.

En effet, la plupart des médias montréalais affectent en permanence un reporter au palais de justice. Ils y ont même chacun un bureau. Chaque jour, vers 14 h 30, tout ce qui est émis dans le district judiciaire de Montréal comme mandats d'arrestations, actes d'accusation et sommations est déposé au greffe dans un petit panier à leur intention. C'est comme ça, en feuilletant l'arrivage de ce jour-là, une tâche routinière, que quelques-uns d'entre eux découvrirent le dépôt d'accusations et l'émission d'un mandat d'arrestation contre le héros populaire.

Mais heureusement pour Lafleur, ce n'est pas par les journaux qu'il apprendra sa mise en accusation.

Car, ce même 30 janvier, la sergente-détective Françoise Fortin appela le père de famille, qui, après tous les malheurs vécus au cours des dernières années, ne devait vraiment pas s'attendre à voir une tuile encore plus lourde s'abattre sur lui.

Informé de la délivrance du mandat, Lafleur avisa la policière qu'il passerait au poste de police le lendemain. Mais, plus tard dans la journée, c'est Me Jean-Pierre Rancourt, excédé, qui communiquera avec elle. Il n'était pas disponible le lendemain et l'avisa qu'il irait la rencontrer avec son célèbre client le 7 février.

Mais elle trouva cela trop lointain. Elle rappela Lafleur et lui intima l'ordre de se présenter au poste le lendemain avec un autre avocat si Me Rancourt n'était pas disponible.

L'avocat sherbrookois la rappellera plus tard ce jour-là, encore plus furieux.

« S'il est dangereux, venez tout de suite l'arrêter chez lui », lancera-t-il à la policière. Rancourt ne comprenait pas pourquoi on avait émis un mandat contre Lafleur.

Après quelques imbroglios, son client et lui conviendront finalement de la rencontrer le lendemain.

Il n'aura fallu, cet après-midi-là, que quelques heures pour que la nouvelle de l'émission d'un mandat d'arrestation contre le Démon blond ne fasse le tour du continent. Certains journaux américains utilisaient même ce terme digne du Far West pour qualifier l'émission du mandat contre Guy Lafleur : *wanted* !

Le soir même, les journalistes du *Journal de Montréal* [qui ne sont plus à son emploi depuis le décret d'un lock-out en janvier 2009] réussissaient à soutirer quelques commentaires à Guy Lafleur, reproduits le lendemain en exclusivité.

« Je ne laisserai pas salir mon nom, car j'ai mis toute une vie à le bâtir », décrétait-il sur un ton combatif.

Quant à Me Rancourt, il faisait clairement savoir aux médias qu'il était outré par le traitement réservé à l'ex-champion marqueur.

« Normalement, on procède par sommation. Pour qu'un mandat soit émis, il faut qu'un juge de paix l'autorise, qu'il y ait une crainte que la personne visée soit dangereuse ou risque de fuir, ce qui ne s'applique pas du tout à M. Lafleur », tempêtait-il. Il ajoutait que Lafleur n'avait pas usé de la meilleure des stratégies en cachant à la Cour les escapades nocturnes de son fils, mais, selon lui, il n'y avait là aucune manœuvre de la part du père de famille pour tromper la Justice.

L'arrestation de Mark Lafleur avait bien causé quelques témoignages de sympathie à l'endroit de *Flower*. Mais, cette fois, on s'attaquait personnellement au héros. Dès le lendemain, les chroniqueurs, sportifs et autres, étaient déchaînés.

« Des quatre femmes impliquées dans le mandat d'arrêt visé émis contre Guy Lafleur, y en a-t-il seulement une qui puisse avoir la moindre petite idée du désespoir d'un père qui tente par tous les moyens d'aider et de sauver son fils ? » questionnait le chroniqueur sportif de *La Presse*, Réjean Tremblay, qui, de toute évidence, était en beau fusil.

Le plus touchant texte fut celui de Bertrand Raymond, intitulé *Lafleur inutilement humilié*.

« Je suis estomaqué, abasourdi, profondément choqué, mais pas plus que Guy Lafleur lui-même, selon son avocat, Me Jean-Pierre Rancourt.

Un mandat d'arrestation contre Lafleur dans une affaire de déclarations contradictoires, ça ressemble drôlement à une procureure qui tente de se faire un nom sur le dos d'une personnalité connue.

La procureure dans ce dossier est madame Lise Archambault tandis que le juge de paix Gilles Michaud a émis le mandat », critiquait durement le chroniqueur.

« Combien de fois Lafleur, par amour pour son fils, est-il allé s'humilier, sous le feu des caméras, au Palais de justice ?

Combien de fois a-t-il marché sur sa fierté blessée pour tenter de convaincre la Justice de lui remettre un enfant troublé, pas toujours conscient de la gravité de ses actes, afin qu'il puisse le confier aux soins des meilleurs spécialistes ?

Lafleur est un homme intègre, un personnage droit. Un individu qui, dans sa communauté, n'a jamais su dire non.

S'il est dans le pétrin actuellement, c'est uniquement parce qu'il a la malchance d'avoir un enfant à problèmes. Lui, il n'en avait pas avant de s'embourber dans une cour de justice en essayant de couvrir les gestes qu'il a posés pour permettre à son fils d'aller prendre l'air.

Cette affaire, c'est l'histoire d'un père qui, en tentant de soutenir son garçon, a été malhabile. Malhabile, je le répète. Pas malhonnête », poursuivait-il.

Bertrand Raymond prédisait déjà que la réputation de Guy Lafleur ne serait heureusement jamais entachée par cet abus de pouvoir de la justice.

« Lafleur a beaucoup plus de chances de poser en victime qu'en criminel.

C'est un héros national et, à moins qu'il ne commette lui-même un acte criminel, il le restera », opinait Raymond en conclusion.

Même l'entraîneur du Canadien à l'époque, et ancien coéquipier de Lafleur, Guy Carbonneau, y alla de son commentaire sur ce drame vécu par *Flower*.

« Je pense que tout le monde sympathise avec Guy. Guy est plus qu'un ancien coéquipier. C'est un ami. Nous sommes voisins et nous nous croisons régulièrement. Je n'ai pas vraiment d'autre réaction que de vouloir lui souhaiter bonne chance et bon courage », a indiqué l'entraîneur-chef au terme de l'entraînement de son équipe. Ces propos étaient rapportés par le journaliste sportif François Gagnon, de *La Presse*.

Son collègue, Patrick Lagacé, qui y était déjà allé de très durs propos sur les témoignages contradictoires de Lafleur, était plus modéré ce jour-là, qualifiant les frasques de Guy Lafleur de « crime commis par amour ».

« Mark Lafleur est un type dangereux, de toute évidence. Pour vous et moi, il a toutes les caractéristiques d'une crapule, syndrome de Tourette ou pas. [...] Et, nonobstant les crimes graves et répréhensibles dont est accusé Mark Lafleur, je ne peux m'empêcher de voir dans l'amour de ce père quelque chose de... touchant. Aimer ainsi quelqu'un d'aussi détestable, ce n'est pas rien », opinait-il.

Divers avocats étaient interrogés. On notait surtout que cette accusation d'avoir livré des témoignages contradictoires était passible d'une peine maximale de 14 ans de prison. Donc, impossible pour Lafleur d'espérer plaider coupable en échange d'une peine réduite, comme une absolution inconditionnelle.

Cette absolution, elle, permet à ceux qui en bénéficient d'être déclarés coupables, de se faire servir un sérieux avertissement, de se voir imposer le versement d'une somme à un organisme quelconque, qui vient en aide aux victimes d'actes criminels, par exemple, tout en évitant l'affront de se retrouver avec un casier judiciaire.

L'absolution est aussi fort recherchée par ceux dont le métier oblige à se rendre parfois aux États-Unis. Nos voisins du sud sont toujours réticents à laisser entrer chez eux des étrangers qui ont un casier judiciaire. Dans le passé, certaines célébrités ont bénéficié d'une absolution, en grande partie à cause de leur boulot qui les force à voyager. Mario Pelchat, trouvé coupable d'avoir frappé au visage un camionneur et, Gilbert Rozon, qui avait plaidé coupable d'agression sexuelle.

Le hic, c'est que cette absolution ne peut être accordée à des gens trouvés coupables de crimes passibles de 14 ans ou plus de prison.

Pour un petit mensonge ou une simple omission, comme il le plaidera plus tard, le Démon blond ne pourra bénéficier de ce traitement.

Mais, ce jour-là, le 31 janvier, après une nuit tourmentée, Guy Lafleur était bien loin de ces considérations expliquées et analysées de long en large dans les journaux du matin.

Pour lui, une seule option s'imposait : laver son nom et entamer au plus vite ce combat qui allait, le souhaitait-il, établir qu'il n'avait jamais sciemment trompé la justice.

Ainsi, il se présenta comme convenu, à 15 h, dans un poste de la police de Montréal, pour y être mis en état d'arrestation.

Il fut amené par la sergente-détective Fortin dans une petite salle privée et fut officiellement mis en état d'arrestation.

L'enquêteur lui a fait la lecture de ses droits. Le droit de garder le silence. Le fait que tout ce qu'il pourrait dire pourrait être retenu contre lui. Le droit de consulter un avocat.

Mais son avocat était déjà sur place avec lui. Il informa la policière que son client n'avait rien à dire.

Me Rancourt arriva à convaincre la sergente-détective Fortin de ne pas imposer le bertillonnage à Lafleur. C'est le nom de la procédure qui consiste à recueillir les données biométriques d'un prévenu. Empreintes digitales, photos de face et de profil.

On amena tout de même Guy Lafleur au bloc cellulaire du poste pour enregistrer sa mise en état d'arrestation dans le système informatique de la police.

« Possédez-vous des armes ? » a ensuite questionné la policière, ce à quoi Lafleur répondit par la négative.

Alors que Me Rancourt était en retrait, elle l'a encore une fois invité à lui donner sa version des faits. Il a décliné l'invitation.

Du propre aveu de Lafleur, qui témoignerait plus tard à son procès, le tout s'est déroulé de façon cordiale. Il a même remercié la policière à la fin de cette humiliante procédure qui aura duré 25 minutes.

N'empêche, il maintient qu'il s'est senti ce jour-là traité comme un criminel.

Il a quitté le poste de la police de Montréal, sans se faire imposer la moindre condition, en promettant de comparaître devant le tribunal pour y être formellement accusé le 7 février suivant. Son avocat comparut ce jour-là au nom de Guy Lafleur, qui brillait par son absence, très tôt le matin.

Une procédure qui, en fin de compte, ressemble en tous points à une accusation par voie sommaire. À la différence que le délai de comparution est plus rapide dans le cas présent. Avec la sommation, il peut y avoir un délai de plusieurs semaines avant la comparution.

Mais, pour le reste, il y a un monde de différence entre la voie sommaire et ce mandat visé. L'émission du mandat contre Lafleur lui avait causé un tort important. Dans l'imaginaire collectif, un mandat, ça sert à épingler des bandits. Pas des pères de famille qui se sont maladroitement mis les pieds dans les plats.

À titre de comparaison, des accusations très similaires ont tout récemment été déposées, le 16 septembre 2009, contre le psychiatre bien connu, Louis Morissette, de l'Institut Philippe-Pinel à Montréal. Il a été accusé de parjure relativement à un témoignage livré dans le cadre de la défense de Francis Proulx, au palais de justice de Québec. Proulx est ce désaxé qui avait crapuleusement assassiné l'attachée politique du ministre libéral Claude Béchard, en mai 2008 dans le village de Rivière-Ouelle, dans le Bas-Saint-Laurent.

Dans son témoignage, le 28 avril 2009, le Dr Morissette disait avoir pris connaissance de la bande audio du témoignage de l'accusé à son procès, livré la semaine précédente, pour préparer son analyse de l'état mental de Proulx. Il spécifiait avoir écouté l'enregistrement la fin de semaine précédente chez lui et le lundi précédent en matinée dans sa voiture. Or, l'enregistrement de Proulx avait été remis aux parties seulement le lundi après-midi, ce qui rendait invraisemblable le témoignage du psychiatre.

« Vous n'avez pas dit la vérité ? » lui a demandé le procureur de la Couronne, sur un ton incisif.

« Oui, j'ai menti là-dessus. Je me suis trompé », admit Morissette.

L'accusation de parjure est de la même catégorie que celle d'avoir livré des témoignages contradictoires. C'est une infraction qui implique de la malhonnêteté devant le tribunal, et se traduit par de la prison.

Mais le cas de Morissette, s'il était déclaré coupable, est plus grave que celui de Lafleur. Morissette est un témoin habitué aux tribunaux. À titre d'expert, il instruit les juges sur ses analyses de dizaines d'accusés chaque année. Il est respecté et ne peut invoquer la nervosité à l'idée de témoigner.

Et pourtant, Morissette n'a pas eu à subir l'affront de se faire mettre en état d'arrestation. Contrairement à la police de Montréal et au procureur qui l'a conseillé, les enquêteurs de la police de Québec ont considéré qu'il était possible de procéder par voie sommaire pour ce type d'accusation. Il a signé une promesse de comparaître à Québec le 30 octobre suivant.

« Morissette n'a pas eu droit à un traitement de faveur. Il a été traité comme il se doit, c'est tout. C'est comme ça qu'aurait dû être traité M. Lafleur », a récemment commenté Me Rancourt.

Impossible de savoir, au bureau du procureur en chef des poursuites criminelles et pénales du Québec, la raison pour laquelle on a ainsi procédé dans le cas de Morissette, et pas dans le cas de Lafleur.

Pour le criminaliste Me Jean-Claude Hébert, il est étonnant qu'on ait choisi d'émettre un mandat contre le hockeyeur, mais il croit que la décision n'a pas été prise à la légère.

« Ce n'est pas juste une personne qui a pris la décision, ça s'est probablement rendu dans d'assez hautes instances, peut-être au bureau du Directeur des poursuites criminelles et pénales du Québec, Me Louis Dionne », croit-il.

A-t-on voulu faire un exemple du cas de Guy Lafleur, parce qu'il est riche et célèbre, comme l'ont clamé ardemment ses défenseurs ?

« On ne peut pas écarter l'hypothèse que la poursuite, vu la notoriété de la cause impliquant le jeune Lafleur et son père, lorsqu'est survenu l'événement du témoignage contradictoire, a décidé de faire une application rigoureuse de la loi. Si on avait laissé passer, la population aurait pu croire que, parce qu'il était très connu, on lui faisait un passe-droit, qu'il était au-dessus de la loi. C'est ce que s'est probablement dit la Couronne. Mais leur décision a eu l'effet inverse. Dans une forte majorité de cas, le public a reproché à la poursuite d'y être allée trop fort avec Lafleur », ajoute Me Hébert.

Professeur spécialisé en droits des médias, Pierre Trudel estime que peu importe la décision qu'aurait prise la Couronne, il y aurait eu indignation dans le public.

« Il y aurait eu une crise dans un sens comme dans l'autre. Si on ne l'avait pas accusé, les gens auraient crié au passe-droit », croit-il.

Mais, il y a un monde de différence entre simplement déposer une accusation sommaire, et émettre un mandat d'arrestation. C'est cette façon de faire qui l'étonne le plus.

« Ce qui est étonnant, c'est qu'on l'ait arrêté comme un mafioso, alors qu'il n'y avait pas de risque qu'il se sauve sans laisser d'adresse. Ça a été perçu par les gens comme une arrestation cavalière contre quelqu'un qui ne se sauvait pas. Et les arguments de la poursuite pour justifier le mandat ne me semblaient pas convaincants. Moi-même, je trouvais assez révoltant de le voir arrêté ainsi, alors que des bandits de grand chemin son arrêtés de façon plus discrète », opine le professeur.

Guy Lafleur n'a jamais digéré cette humiliation. Et, comme le bouillant numéro 10 ne s'est jamais laissé marcher sur les pieds, il allait répliquer avec fracas pour rétablir son honneur.

Mais les tribunaux ne sont pas une patinoire. Le Démon blond a fait sa marque dans la Ligue nationale de hockey par ses décisions géniales prises sur la glace en un centième de seconde et sa lecture phénoménale du jeu. Mais l'arène judiciaire n'est pas la sienne.

La stratégie du « œil pour œil dent pour dent » y est rarement fructueuse.

Ainsi, en voulant répliquer à l'affront qu'on lui a fait subir, il allait plutôt ajouter de l'huile sur le feu.

12
La contre-attaque

Comme c'était le cas après chaque moment clé de cette saga qui semblait ne plus vouloir se terminer, le calme suivit la tempête.

En mars 2008, Guy Lafleur allait encore devoir se rendre devant la justice, pour supporter son fils, cette fois. Dans un premier temps, pour son procès devant la Cour municipale de Montréal, au terme duquel il fut acquitté de voies de fait contre le père de Cassandra, mais condamné à 500 $ pour des menaces contre la mère de celle-ci.

Flower n'allait pas s'éterniser à commenter ce nouveau développement, se contentant de se dire satisfait du jugement.

Tout juste après, il y eut l'enquête préliminaire sur son fils. Pour la première fois, Cassandra allait témoigner devant le tribunal et devant la juge Hélène Morin. Elle allait décrire en long et en large sa vie avec Mark, les hauts, les bas, la drogue, la violence. À peu près rien, à ce moment-là, sur les prétendues agressions sexuelles. Car n'oublions pas que Mark n'était pas qu'accusé d'avoir été violent avec son ex-copine, mais aussi de l'avoir forcée à avoir des relations sexuelles non consentantes à trois reprises.

Elle allait aussi parler longuement des tentatives de Lise et Guy Lafleur pour raisonner leur fils, tel que raconté dans les premiers chapitres de cet ouvrage. Elle indiqua que, tout au long de la relation chaotique qu'elle vécut avec Mark, elle s'était beaucoup confiée à son célèbre beau-père.

La procureure aux poursuites criminelles et pénales, Me Lavergne, insista encore énormément sur les actions posées par Guy Lafleur, sur ce qu'il savait des mauvais traitements qu'imposait son fils à sa copine, sur ses compétences parentales, sa sévérité et la petite fortune qu'il a, au fil du temps, donnée à Mark. Fortune qu'il a dilapidée pour acheter du crack. Ce qui n'a pas manqué de soulever de multiples objections de l'avocate de la défense, Me Mia Mannochio, qui rappelait que ce n'était pas le procès des parents, mais bien celui du fils.

Celle-ci, dans son contre-interrogatoire de Cassandra, allait tenter par tous les moyens d'attaquer sa crédibilité, lui demandant maintes et maintes fois pourquoi elle était demeurée avec Mark malgré tous les sévices qu'elle disait avoir subis.

Toujours la même réponse. Cassandra disait avoir été trop naïve et trop jeune pour comprendre que le prince charmant avec qui elle croyait vouloir passer sa vie, celui des premières semaines de leur relation, ne reviendrait jamais.

Toute cette procédure, comme c'est de coutume, se déroula sous ordonnance de non-publication. Comme il n'y avait pas trop de couverture médiatique, Guy Lafleur pouvait marcher un peu plus à son aise dans les couloirs du sinistre palais de justice de Montréal.

Mark fut néanmoins cité à procès au terme de la procédure.

Mais le père, lui, avait déjà la tête à sa contre-attaque.

C'est le 1er avril qu'il allait déclencher les hostilités.

Lafleur avait retenu les services de l'avocat Me Jacques Jeansonne, un des meilleurs civilistes à Montréal.

Ce jour-là, il déposa une poursuite qui fit beaucoup de bruit, mais qui aujourd'hui encore demeure une énigme au point de vue stratégique.

Il réclamait 3,5 millions de dollars à la sergente-détective Françoise Fortin, à la procureure Me Lise Archambault, à leur employeur, la Ville de Montréal et au procureur général du Québec.

La première partie de cette poursuite est littéralement une ode aux moments les plus glorieux du Démon blond. Question de bien marquer que ce n'est pas à n'importe qui que la police et la Couronne se sont attaquées, on décrit Lafleur comme « un athlète de renommée mondiale ayant connu une carrière extraordinaire et jouissant d'une réputation et d'une estime exceptionnelle ».

On fait état de sa nomination en 2005 au titre de Chevalier de l'ordre national du Québec, et surtout des éloges de Jean Charest à l'égard de Lafleur, quand il l'a honoré.

« Vous êtes le reflet de ce que le Québec a de plus grand. Vous incarnez la promesse de hauts faits à venir. Par vos actions éminentes, vous avez marqué notre histoire », avait exprimé un premier ministre admiratif.

Et, finalement, on rappelle sa nomination par la reine d'Angleterre Élizabeth II à titre de commandant du 12e Escadron radar des Forces armées canadiennes, basé à Bagotville au Saguenay.

La reine disait qu'il avait été choisi « en raison de la foi et de la confiance que nous plaçons en votre loyauté et votre probité ».

C'est au nom de cette même majesté la Reine que, le 25 janvier 2008, le juge de paix Gilles Michaud signait un mandat enjoignant la policière Fortin « d'arrêter immédiatement le prévenu et de l'amener devant moi ou tout autre juge de paix du district de Montréal afin qu'il réponde à cette inculpation et soit traité selon la loi », lisait-on dans la poursuite.

N'oublions pas qu'au Canada, quand on est accusé au criminel, le poursuivant, n'est autre que la Reine.

Guy Lafleur dit avoir reçu plusieurs appels et maintes questions de la part de ses connaissances d'un peu partout en Amérique, quand la nouvelle de l'émission d'un mandat fut ébruitée dans les médias à la vitesse de l'éclair le 30 janvier. Celles-ci se demandaient pourquoi un mandat avait été émis contre cette icône du hockey.

Il affirme en outre que, quand la sergente-détective Fortin l'a appelé ce jour-là pour l'informer du fait qu'elle avait en main un mandat contre lui, elle l'a sommé de se présenter au poste de police le lendemain faute de quoi elle irait l'arrêter chez lui.

Lafleur dit alors avoir « craint d'être arrêté, menotté et détenu au poste de police ».

Il dit avoir été insulté et humilié quand il s'est présenté au poste le lendemain, et qu'on l'a fouillé comme un petit truand.

« Il n'était aucunement nécessaire de procéder par mandat d'arrestation pour inculper le demandeur, ni même utile de le faire, en l'absence de tout risque de fuite, d'entrave à la justice, de danger pour le public, ou quelque autre raison pouvant objectivement justifier une telle atteinte à la liberté du demandeur (Lafleur) », écrivait Me Jeansonne.

« Il s'agit d'un geste disproportionné, un abus de pouvoir, qui ne s'explique que par une intention de causer du tort au demandeur. »

Car, ajoutait-il, la procureure et la sergente-détective ne pouvaient ignorer que cette arrestation ferait tout un tapage médiatique. Il indique, de plus, que cette procédure avait probablement le but non avoué de mettre de la pression sur Lafleur afin qu'il fasse une déclaration incriminante à la policière sans la présence de son avocat.

« Ce geste des défendeurs a exposé le demandeur à des sentiments de gêne, de honte, d'humiliation, de stress, d'angoisse et de souffrance morale », décrit le document judiciaire. Même chose pour les autres membres de sa famille, précise-t-on dans la requête.

Il va même plus loin, estimant que cette arrestation spectaculaire de Lafleur entache sa réputation au point de lui faire perdre de juteux revenus futurs, surtout en matière de commandite. Même si seul le temps permettra de chiffrer exactement ses pertes, on avance d'entrée de jeu la somme colossale d'un million et demi de dollars.

On explique le modèle d'affaires de Lafleur, dont les activités commerciales se font par l'entremise de la firme Gestion Dies inc. « qui, par un phénomène de vases communicants, a généré au demandeur d'importants revenus de commandite ».

Et on accuse police et Couronne de tout faire pour aggraver les dommages subis par la famille Lafleur en maintenant qu'il était dans l'intérêt public de l'arrêter de cette façon.

Des dommages moraux de 500 000 $, des dommages matériels et des pertes de revenus de 1 500 000 $, et des dommages exemplaires d'un autre 1 500 000 $, la poursuite totalise bien 3 500 000 $.

À ce jour, il n'y a eu aucun développement de ce côté. Les parties ont consenti à mettre sur la glace ce dossier civil jusqu'à ce que soit close pour de bon la cause criminelle du Démon blond. Cause qui est toujours en attente d'être tranchée par un trio de juges de la Cour d'appel du Québec.

Chose certaine, après de si dures et promptes accusations venant du clan Lafleur, la Couronne n'allait plus avoir droit à l'erreur. La moindre concession de la procureure aux poursuites pénales et criminelles, nommée pour se charger du dossier, Me Lori Renée Weitzman, serait perçue comme une remise en question de la méthode musclée qui a été utilisée pour neutraliser Guy Lafleur.

Ce n'était peut-être pas la meilleure stratégie dans les circonstances, la Couronne ainsi braquée serait probablement hostile à tout compromis avec la défense.

Mais, de toute évidence, ce que cherchait Lafleur, ce n'était pas une peine bonbon en échange d'un plaidoyer de culpabilité à une accusation réduite.

Il voulait être acquitté, blanchi de tout soupçon.

Cette poursuite n'était donc que la première de deux attaques en règle contre ce système judiciaire qui, à ses yeux, s'attaquait vicieusement à lui sans raison.

13
Le procès

La famille Lafleur devrait toutefois mettre de côté, pour un temps, sa hargne contre le système et se concentrer sur les deux étapes suivantes de sa vie. L'une heureuse, l'autre, douloureuse.

Dans un premier temps, l'ouverture du fameux restaurant-bar à Rosemère, le *Bleu Blanc Rouge*. Alors que l'ouverture devait avoir lieu au printemps 2008, elle a été retardée au 31 juillet de la même année, tout juste avant une pénible épreuve pour toute la famille.

Le 17 juin, le procès de Mark, devant le juge de la Cour du Québec, Serge Boisvert, s'ouvrait en effet au palais de justice de Montréal.

Cette fois, les parents du jeune homme n'étaient pas dans la salle d'audience. Pour ce qui est de Lise Barré-Lafleur, la raison en était bien simple. Elle devait témoigner lors de la défense de Mark, tout comme son autre fils Martin. Les témoins d'un procès sont généralement exclus de la salle d'audience afin que leur version des faits ne soit pas influencée par celle des témoins les précédant. Quant à Guy Lafleur, on ne sait exactement, mais il est fort probable qu'il voulait éviter de parader pendant plusieurs jours devant des dizaines de caméras et de flashs crépitant à son passage.

On ne peut l'en blâmer.

Le procès commença sur les chapeaux de roues. D'entrée de jeu, l'avocate de Mark, Me Mannochio, annonça au juge Boisvert que son client allait immédiatement plaider coupable à 14 des 16 chefs d'accusation qui pesaient contre lui.

Il admettait donc avoir frappé, brûlé, menacé de mort et enfermé à plusieurs reprises pendant trois ans son ex-copine Cassandra.

Ne restaient que deux accusations d'agression sexuelle. Les plus graves, mais aussi les plus difficiles à prouver pour la Couronne.

La bonne nouvelle, c'est que le procès qui devait durer trois semaines allait être considérablement écourté vu l'admission de nombreux faits par Lafleur.

La Couronne ne fit entendre que deux témoins. Cassandra et sa mère.

La jeune fille, elle, demanda à la Cour la permission de témoigner dans une salle attenante à celle où se tenait le procès, et que son témoignage soit retransmis dans la salle de Cour par un système de vidéoconférence. Elle disait être effrayée par la perspective de se retrouver en face de celui qui fut pendant trois ans son prince charmant et son bourreau.

Son souhait lui fut accordé, comme c'est souvent le cas pour ce genre de crime lorsqu'une victime mineure vient témoigner. Cassandra avait à l'époque 19 ans, mais comme elle était mineure au moment des crimes, le juge fut compatissant envers elle.

On fit entendre au tribunal la vidéo de l'interrogatoire qu'avait réalisée la sergente-détective Josée Gagnon lorsque Cassandra a porté plainte le 31 janvier 2007.

Puis, celle-ci témoigna. Pour une troisième fois, après son interrogatoire policier et l'enquête préliminaire, elle raconta son histoire. Toujours la même.

Le hic pour Me Sophie Lavergne, de la Couronne, c'est qu'elle s'était préparée pour un procès portant sur l'ensemble des sévices qu'a fait subir Lafleur à Cassandra, alors qu'elle ne devait maintenant prouver que les accusations d'agressions sexuelles. Elle fit pourtant raconter toute son histoire à Cassandra, ce qui lui valut une foule d'objections de la part de Me Mannochio et d'avertissements du juge Boisvert qui lui rappela que le jeune Lafleur n'était jugé devant lui que pour des agressions sexuelles, et que tout le reste, à part lui donner une idée du type de relation que vivaient les deux jeunes, ne lui était pas très utile.

De nouveau, Me Lavergne posa à Cassandra une foule de questions sur le comportement de Guy Lafleur au cours de toute cette affaire.

Savait-il qu'à l'époque où ils vivaient au motel, une interdiction de contact entre les deux avait été décrétée par le tribunal de la jeunesse ? Est-ce lui qui payait pour la chambre ?

Cassandra a raconté que le célèbre père de Mark avait averti à plusieurs reprises son fils de se calmer et d'être doux avec elle.

Mais cette ligne de questions a fait sortir de ses gonds le juge Boisvert.

« Je ne crois pas que je vais devoir déclarer le père de l'accusé coupable de quoi que ce soit. Au-delà d'un certain voyeurisme, il n'y a pas d'intérêt pour ces questions », avait sèchement lancé le magistrat à Me Lavergne en l'interrompant dans ses questions.

Cassandra décrit finalement, avec aplomb, mais parfois en sanglotant, trois épisodes durant lesquels Mark l'aurait forcée à avoir des relations sexuelles alors qu'elle ne le voulait pas.

Elle disait se souvenir surtout de la dernière de ces agressions, survenue peu de temps avant que ses parents ne viennent l'arracher des griffes du jeune Lafleur le 13 janvier 2007.

Elle venait de remplir des sacs verts de tout ce qu'elle possédait et lui avait annoncé qu'elle le quittait.

« Il m'a prise au cou et m'a dit : *si tu pars, je vais au moins avoir du sexe avec toi et te faire ce que je veux* », lui aurait dit Mark selon son témoignage. Elle a refusé, mais il l'a forcée, a-t-elle juré. Puis, ils se sont endormis.

« Même si je pleurais, avais la tête enfouie dans l'oreiller et ne bougeais pas, il était capable d'être dur et d'avoir du sexe comme si c'était normal », avait-elle renchéri.

Quelques mois plus tôt, un événement identique serait survenu. Elle situe la première agression à la fin 2004, dans la chambre de Mark au *Days Inn* de Berthierville. Ils se seraient disputés parce qu'elle avait trouvé un sous-vêtement féminin dans la chambre. Il aurait nié l'avoir trompée et l'aurait forcée à avoir une relation, a-t-elle témoigné.

Le gros problème avec les affirmations de la jeune femme sur ce dernier sujet, c'est qu'elle était incapable de situer avec précision le moment des agressions.

Quelques jours plus tard, le 19 juin, Mark témoignait à son tour. Cela fut plutôt bref, car son avocate décida de ne pas couvrir l'ensemble des mauvais traitements que son client avait fait subir à la jeune femme.

Elle lui demanda simplement ce qu'il avait à dire concernant l'énumération des sévices dressée par Cassandra.

Outre les agressions sexuelles, il admit tout.

« C'est dur à dire parce que j'ai honte de ça », affirmait-il en fixant le sol.

Puis, il entama sa défense au sujet des agressions sexuelles.

« Je l'ai poussée au mur en la tenant par le cou, je l'ai jetée sur le lit et j'ai lancé ses sacs. Elle pleurait. J'étais dans un état misérable, car je n'avais plus de crack. Je me suis étendu sur le lit et me suis endormi, c'est tout », a juré Lafleur au sujet de la plus récente des agressions décrites par Cassandra.

Il précisa que le crack le rendait de toute façon « impuissant ».

Quant à la seconde agression, voici ce qu'il en avait à dire : « On buvait de l'alcool 94 % avec du coke, lentement, sans chicane, tout allait bien. Je lui ai promis un massage. Elle s'est couchée sur le ventre sur notre lit. J'ai commencé le massage, mais j'étais si saoul que je me suis endormi la tête sur ses fesses. »

Quant à la première, celle qui serait survenue à Berthier, il admit avoir fait l'amour ce jour-là avec Cassandra, mais elle était consentante, promit-il.

Les deux témoignages les plus poignants de tout ce procès, à défaut d'être les plus éclairants pour le juge sur les accusations qu'il lui restait à évaluer, furent ceux des deux mères. Celle de Cassandra, Rosie, et celle de Mark, Lise Barré-Lafleur.

Deux mères qui ont passé des tonnes de nuits blanches, qui ont vécu l'inquiétude, la peur, l'incompréhension, l'impuissance et la panique.

La mère de Cassandra décrit quelques-uns des moments les plus effrayants de la relation entre sa fille et Mark. Mais ce sont surtout ses états d'esprit qu'elle livra au juge Boisvert, qui l'écouta avec une compassion évidente.

« Nous passions tous nos week-ends à chercher, chercher, téléphoner et tenter de trouver notre fille. C'était émotionnellement trop stressant », a raconté la mère, décrivant les moments d'angoisse qu'elle a vécus dès les premières semaines de fréquentation entre sa fille et Mark. Ce dernier partait avec leur fille chaque vendredi et la leur ramenait le dimanche soir ou le lundi matin. Les parents ne savaient jamais ce que le couple faisait ni où il se trouvait. Plus tard, Mark la prenait même à son foyer de groupe, où le Directeur de la protection de la jeunesse l'avait placée, et où elle n'était pas supposée voir Mark.

« Ne pars pas, ne me fais pas ça », a sangloté la mère au téléphone quand elle a appelé sa fille après avoir réalisé, en mars 2005, qu'elle était encore partie avec Mark deux jours après être sortie de son foyer de groupe. Elle était allée vivre avec Lafleur au Paysan. C'était la dernière fois qu'elle lui parlait avant le mois d'août suivant.

Puis, quand elle l'a revue, elle a dû se résigner à accepter la vie que Cassandra souhaitait vivre.

« J'ai même dû essayer de me faire aimer par Mark. Pour qu'il me laisse voir ma fille ! Pouvez-vous imaginer ça ? » a récité avec émotion la dame pendant le procès.

Quant à l'épouse de Guy Lafleur, c'est son fils Martin, qui venait de témoigner juste avant elle, qui la supporta et lui tint la main à sa sortie du palais de justice. N'oublions pas qu'elle était dépressive et qu'à l'évidence, ce témoignage à la Cour fut pour elle un vrai cauchemar. Au départ, elle avait la voix tremblante, mais, plus elle parlait, plus son aplomb revenait. Elle a livré un témoignage clair et solide. C'était le cri du cœur d'une mère dépassée par les événements qui a tout fait pour tenter de sauver son fils, et sa copine aussi.

Le juge n'a pas mis trop de temps à rendre son verdict sur ces deux chefs d'accusation.

Le 20 juin, ce juge qui a l'habitude de travailler efficacement et rapidement acquittait Mark Lafleur des accusations d'agressions sexuelles.

« Je ne crois pas Mark Lafleur, mais, avec la preuve que j'ai, je ne peux pas me convaincre au-delà de tout doute raisonnable. Cela ne veut pas dire que les agressions sexuelles ne sont pas survenues », a indiqué le juge Boisvert. Tout était dit !

Ce jour-là, ni la famille de Mark Lafleur ni celle de la victime n'était sur place. Une fois le verdict tombé, le jeune homme, dans le box des accusés, a nonchalamment fait savoir sa satisfaction à son avocate.

Étape suivante, cinq jours plus tard : l'audition sur la peine à imposer à Lafleur pour les voies de fait, les menaces de mort et les séquestrations pour lesquelles il a plaidé coupable en début de procès. Allaient aussi s'ajouter au nombre des plaidoyers de culpabilité qu'il a enregistrés ceux relatifs à l'épisode de rage au volant envers un chauffeur de la Société de transport de Montréal, survenu en décembre 2006 sur le boulevard de Salaberry, et au cours duquel il a menacé de mort l'homme en plus de fracasser la vitre de l'autobus. Sans oublier les accusations d'avoir cultivé des plants de marijuana dans son condo. Et l'accusation de conduite dangereuse concernant le fameux accident qui a convaincu Cassandra de finalement porter plainte contre lui. Il roulait à une vitesse folle sur l'autoroute 40 et a perdu le contrôle, blessant le frère de Cassandra et son ami, qui étaient passagers.

Dans notre système judiciaire, il est permis aux victimes et à leurs proches, à cette étape des procédures, de venir témoigner devant le juge, non plus pour raconter les circonstances du crime, mais plutôt pour informer le tribunal des impacts que le crime a eus sur eux. C'est une dernière chance pour influencer le magistrat, afin qu'il tienne bien compte des séquelles laissées aux victimes et à leurs proches. De même, à cette étape, l'accusé peut aussi s'adresser au juge ou aux victimes, pour exprimer ses remords, s'il en a.

Ce 25 juin, la mère de Cassandra se présenta devant le juge avec une lettre écrite par sa fille qui y décrivait les impacts des crimes de Mark sur sa vie. Lettre qu'elle se disait incapable de lire elle-même devant Mark, ce pour quoi elle chargea sa mère de cette mission.

Sans le savoir, c'est tout un coup de massue que Lise et Guy Lafleur s'apprêtaient à recevoir sur la tête.

« J'ai de nombreux *flash-back* de tout ce qui s'est passé avec Mark. Je ne peux encore oublier, mais je souhaite que je le puisse un jour. J'ai du mal à dormir, je me réveille la nuit sans raison et me mets à pleurer. Je tremble, je transpire, j'ai peur. J'ai beaucoup de mal à faire confiance aux gens, surtout les hommes. Je ne suis plus capable d'en fréquenter et je crois que je ne serai pas capable avant longtemps », a lu la mère au nom de sa fille.

Elle a ensuite raconté que tout ce qu'elle a vécu l'a fait vieillir prématurément, et qu'elle n'est pas la jeune fille qui devrait mordre dans la vie comme c'est le cas de ses amis.

Puis, elle parle de l'impact énorme que ce drame a eu sur sa mère « qui parfois ne peut pas sortir du lit pour plusieurs jours, elle ne mange plus, elle pleure souvent, et elle se referme sur elle-même, ce qui n'est pas bon pour sa santé. C'est très dur pour elle de penser à ce que j'ai traversé. »

Vint ensuite le chapitre de la lettre dans lequel elle faisait état de son ressentiment pour la famille Lafleur.

« Je ne peux toujours pas comprendre pourquoi Mark a pu me faire ça alors qu'il était supposé être mon petit ami. Quelqu'un qui devait me supporter et prendre soin de moi. Et me protéger de choses comme celles qu'il m'a faites lui-même. »

Elle décrit ensuite comment Mark, « sur une base quotidienne », s'est assuré de la garder dans un état de terreur, la menaçant de la tuer et de tuer sa famille si elle le dénonçait. Elle déplore en outre tout l'argent que Guy Lafleur a donné à son fils, lui permettant de conduire des voitures de luxe, d'avoir son condo et surtout, de se procurer des tonnes de crack.

Mais, son entreprise de démolition des Lafleur ne s'arrêtait pas là.

« Sa propre mère n'a pas appelé un médecin quand je ne pouvais même pas respirer. Et son père a demandé aux copropriétaires du condo de ne pas appeler la police quand je criais à l'aide. Le dicton qui dit que le fruit ne tombe jamais loin de l'arbre est très véridique quand on pense aux Lafleur. Honnêtement, je ne sais pas comment ils peuvent se regarder dans le miroir », vilipendait Cassandra avec acharnement.

Elle parlait ensuite de sa famille, qui n'est ni riche ni célèbre, « mais qui connaît l'amour, et sait distinguer le bien du mal ».

Et elle revient à la charge contre Guy Lafleur.

« Guy Lafleur continuait de me dire de rester avec Mark, parce que Mark m'aimait. Il sentait que Mark allait changer et devenir une meilleure personne. [...] C'était malhonnête de me placer, moi, une enfant, dans cette position », concluait-elle à ce sujet.

Cette lettre extrêmement dure a d'ailleurs sérieusement indisposé le juge Serge Boisvert.

« Ce n'est pas par le biais d'une déclaration de la victime qu'on peut porter des accusations contre des tiers (dans ce cas Guy Lafleur) qui ne font pas partie du procès. J'ai pris la décision suivante : la déclaration sera mise sous scellés et je ne la considérerai pas sauf les trois premières pages où effectivement la victime parle des séquelles qu'elle a subies. La dernière partie, il s'agit plutôt d'une plaidoirie ou d'une série de reproches qui ne sont souvent même pas adressés à l'accusé, conséquemment ce sont des faits qui ne sont absolument pas pertinents, absolument pas, dans un procès criminel… La Cour ne peut commencer à démêler ici ce qui est pertinent ou n'est pas pertinent. Je crois que cet exercice aurait dû être fait par les procureurs avant de déposer ça à la Cour », a critiqué le magistrat en s'adressant à Me Sophie Lavergne.

« Ça n'aurait jamais dû être déposé en preuve », conclut-il.

Néanmoins, ces propos vitrioliques se retrouvèrent dans les médias. Invité à les commenter par certains journalistes, Guy Lafleur préféra se taire. Cette nouvelle page de sa saga judiciaire était une autre humiliation publique pour l'homme.

La suite des représentations sur la peine – étape peu flamboyante au cours de laquelle les avocats des deux parties font au juge un résumé de leur vision de l'affaire, lui soumettent de la jurisprudence pour appuyer la peine qu'ils réclament – se continua tout de même ce jour-là.

Me Mannochio a soumis au juge qu'avoir été détenu durant onze mois en attente de son procès serait une peine suffisante dans le contexte. N'oublions pas que Mark Lafleur a passé quelques semaines en prison après sa mise en accusation en février 2007, avant d'être arrêté de nouveau le 14 septembre de la même année pour rester derrière les barreaux jusqu'à son procès. D'autant plus que la détention préventive est généralement créditée en double aux accusés. Cela lui faisait donc une peine de 22 mois. L'avocate suggérait au juge Boisvert de toutefois lui imposer une longue période de probation, trois ans, assortie de conditions très strictes qui lui permettraient de se réinsérer dans la société. Selon elle, s'il advenait que le jeune Lafleur brise ces conditions, il serait bien vite dénoncé, arrêté, et renvoyé derrière les barreaux, parce qu'il était dorénavant connu. Et ses parents le supporteraient et lui offriraient encore du travail.

C'est sans surprise que Me Lavergne a réclamé une longue peine de prison.

Selon elle, Mark Lafleur n'avait jamais exprimé le moindre remords à l'égard de la victime. Le cas de rage au volant sur le boulevard de Salaberry et l'accident dans lequel le petit frère de Cassandra a frôlé la mort démontrent l'insouciance quant à la vie, la sienne et celle des gens qui se trouvaient autour de lui. La dénonciation et la dissuasion devraient primer dans la décision sur la peine à imposer.

Elle réclama au total 68 mois de détention. Sans fournir de jurisprudence à l'appui de cette demande, ce qui encore une fois, agaça le juge.

« Je n'ai pas vu de dossier de violence conjugale de l'ampleur de ce qu'on a vu devant la Cour aujourd'hui », a-t-elle justifié, rappelant son expérience à la salle 6.11 du palais de justice de Montréal, une salle presque exclusivement dédiée aux cas de violence conjugale.

« J'aurais trouvé ça très intéressant d'avoir des décisions de tribunaux qui ont rendu des sentences de cette ampleur pour des délinquants primaires (qui n'ont pas d'antécédents). Je n'ai pas l'intention de banaliser quoi que ce soit. Ces gestes, l'accusé les a posés comme adulte, contre une victime mineure. Mais je n'ai pas souvenir d'une sentence aussi sévère pour un délinquant primaire », a fait remarquer le juge au procureur.

Se gardant bien de vouloir dire que ce que Mark Lafleur a fait n'est pas grave, il a toutefois ajouté qu'il est « facile de trouver des lésions plus graves que des clés lancées à la tête. C'est inexcusable, mais il y a des crimes connus dont la gravité ressort plus facilement », a-t-il fait valoir, déçu de ne pas avoir de jurisprudence à étudier en cette matière.

Puis, le magistrat est allé réfléchir pendant quelques minutes, avant de revenir avec une surprise pour l'assistance, bonne pour certains, mauvaise pour d'autres.

« Monsieur Lafleur, levez-vous », ordonna le juge en s'asseyant à son bureau.

« Vous savez, une sentence, il faut qu'elle soit juste pour l'accusé, mais aussi pour la société. J'aimerais avoir dans votre cas un éclairage plus important pour m'aider à décider », expliqua-t-il directement à Mark Lafleur, pour qui il demanda la confection d'un rapport présentenciel. Ce type de rapport est dressé par un agent de probation et sert à peindre le portrait d'un accusé pour aider le juge à savoir à qui il a réellement à faire.

Ce rapport ne pouvait toutefois être complété avant plusieurs mois, vu la surcharge de travail des agents de probation.

« Dans l'intervalle, je pourrais vous garder détenu, ou vous libérer. Si je vous garde détenu, sauf pour m'assurer de votre présence à la Cour, ça ne m'aidera pas à voir comment vous vous comportez dans la société », poursuivit le juge.

Il le mit bien en garde. Il pouvait décider ce jour-là de le libérer, mais au moment de la peine, le renvoyer derrière les barreaux s'il décidait de se rendre aux arguments de Me Sophie Lavergne.

« C'est possible que je vous retourne en dedans, mais le risque est plus grand si vous ne respectez pas les conditions que je vais vous imposer. Et elles vont être sévères », annonça le juge.

Mark Lafleur allait devoir signer un engagement personnel de 5 000 $, qu'il perdrait évidemment s'il brisait ses conditions.

Il allait devoir demeurer chez ses parents à l'Île-Bizard et ne pas sortir du district judiciaire de Montréal. Ce qui se limite à l'Île-de-Montréal et à l'Île-Bizard. Il lui était aussi interdit de communiquer avec Cassandra et de s'approcher à moins de 100 mètres d'elle. Au surplus, il lui était formellement interdit de se trouver avec une jeune fille mineure, sauf en présence d'un adulte responsable

Et finalement, il allait devoir rencontrer, dans les trois jours, un psychiatre et suivre toutes ses recommandations.

Cette libération inattendue fut évidemment très mal digérée par les parents de Cassandra, qui sortirent de la salle d'audience en trombe avant même que le juge ait terminé son argumentation.

Le lendemain, Mark sortait de prison.

C'était la première bonne nouvelle depuis très longtemps pour Guy Lafleur et sa famille.

14
LE FAUX PAS DE CASSANDRA

L'été passa sans développement.

Le nouveau restaurant de Rosemère était maintenant ouvert et fonctionnait déjà à merveille.

Fidèle à lui-même, à sa réputation d'être transparent, Guy Lafleur décida le 5 octobre de raconter son calvaire publiquement.

Ses premières confidences, il les avait faites au chroniqueur Bertrand Raymond. Cette fois, il choisissait la chaîne de télévision TVA.

D'entrée de jeu, le Démon blond raconta qu'à chacun de ses passages au palais de justice, alors qu'il était épié par les caméras de télévision et par les journaux, il se demandait ce qu'il faisait là.

« C'est les seules fois que je me suis posé cette question-là. Je n'étais pas vraiment à l'aise au palais de justice et je ne le serai jamais », a-t-il débuté.

Il a surtout profité de cette tribune pour répondre aux accusations très graves que lui avait servies la mère de Cassandra, lisant une lettre écrite par sa fille, lors de l'audition sur la peine à imposer à Mark en juin précédent.

« On a encaissé, on a encaissé, et on n'a pas dit un mot. C'est ça qui fait le plus mal à la famille », dit-il à ce sujet.

Dans un premier temps, il juge complètement fausse cette prétention de Cassandra selon laquelle il l'a jetée dans la gueule du loup en la suppliant de rester avec Mark.

« Ça n'est jamais arrivé que je lui dise ça. En temps normal, en tant que parents, si on avait su que notre fils avait agi de façon brutale avec elle ou n'importe qui, on ne les aurait pas laissés ensemble. On est des parents qui prennent leurs responsabilités », a martelé Lafleur.

« Les deux se brassaient. Souvent, Mark venait à la maison et il avait des marques sur les jambes. Lorsqu'il y a consommation de drogue et d'alcool, il y a de la violence. Pas juste sur un côté, mais sur les deux côtés. Les deux étaient coupables de ce qui est arrivé », opinait-il.

Il dit que Lise et lui ont plusieurs fois enjoint à l'adolescente de rentrer chez ses parents et d'y rester. Il lance plutôt la pierre à la famille de Cassandra.

« Mon épouse avait parlé à sa mère pour qu'elle aille la chercher. Et elle revenait tout le temps. Si t'es une famille responsable, et que t'as une fille de 16 ans, tu vas la chercher », déplorait Lafleur.

« Nous, dans le fond, on était vraiment impuissants. Cette mère et ce père ne prenaient pas position. C'est drôle que, pendant deux ans, c'est nous qui l'avons fait vivre cette petite fille-là. Elle a travaillé à notre restaurant. C'est facile de mettre le blâme sur quelqu'un quand tu ne prends pas tes responsabilités. »

Il disait ne pas se sentir coupable de ce qui est arrivé à son fils, même s'il n'a jamais cessé de lui distribuer des milliers de dollars sur demande qui lui ont servi à se procurer du crack et s'enfoncer toujours un peu plus.

« Le jour où je vais me sentir coupable, c'est le jour où il va se retrouver en situation identique. Nous travaillons extrêmement fort et il peut s'en sortir. Il ne prend plus de drogue. Ça fait une très grosse différence. C'est le jour et la nuit. »

Il revint ensuite sur les nombreux impacts que toute cette affaire a eus sur sa famille.

« C'est très difficile. C'est médiatisé. T'as beau ne pas lire les journaux, tu ne peux pas fermer les rideaux complètement. Ça a affecté très sérieusement mon autre fils, Martin, et sa mère est en dépression aujourd'hui. Elle est suivie par un psychiatre présentement », expliquait-il.

« Moi, ça m'a affecté énormément aussi, ça te gruge de l'intérieur, tu veux t'en sortir et que ton enfant s'en sorte », poursuivit Guy Lafleur, précisant que lui, il n'a pas sombré dans la dépression.

« Je me dis, comme le disait le slogan des Nordiques dans le temps, que le meilleur est à venir. J'y crois énormément. Tu ne peux pas toujours rester dans le noir et ne pas t'en sortir. Tu vois nécessairement un jour la lumière au bout du tunnel. »

Il persistait et signait en disant que, dans son esprit, il n'a jamais aidé son fils à briser ses conditions en le laissant passer la nuit à l'hôtel avec sa copine alors qu'il était en liberté conditionnelle et contraint de respecter un couvre-feu.

« Moi, j'ai toujours trouvé que j'avais respecté les conditions. Au sujet du couvre-feu, il est toujours rentré aux heures, à la maison ou au motel. Pour moi, ce qui était important, c'était qu'il ne consomme pas de drogue ou d'alcool. Il était en réinsertion sociale quand c'est arrivé. Il n'a pas commis de crime ou de chose grave », défendit-il.

Il a été estomaqué en apprenant, quand la sergente-détective Françoise Fortin l'a joint au téléphone le 30 janvier 2008, qu'un mandat d'arrestation était émis contre lui.

« Quand l'enquêtrice te rejoint sur ton cellulaire, il me semble que c'est parce que tu n'es pas dur à trouver. »

Il raconte qu'il suit son fils pas à pas depuis sa libération en attente de sentence, et qu'il fait de gros progrès. Il souhaiterait le voir éviter la prison et voir ses conditions de libération être amoindries.

« Mark a agi de façon pas correcte, il a plaidé coupable à un paquet de choses auxquelles en temps normal il aurait dû plaider non-coupable. Il l'a fait pour ne pas passer son temps en dedans. Ce n'est pas la meilleure place pour une personne en prison », dit-il, admettant qu'il avait bien hâte de voir son fils « prendre l'air » et aller vivre dans sa propre demeure.

« Mon fils a commencé à travailler au restaurant trois jours semaine. Il voit un psychologue et un psychiatre régulièrement. Il sait dans quoi il est, il espère que ses conditions soient minimisées. [...] Tu ne peux pas toujours mettre des conditions sur un jeune de 23 ans. Il faut un moment donné qu'il vole de ses propres ailes, parce que d'un autre côté, c'est nous qu'on tient en otages, les parents. S'ils veulent avoir l'heure juste avec mon fils, il faut minimiser ses conditions, et l'avenir nous le dira si on a raison », estime le Démon blond, qui donnait cette entrevue dans son nouveau restaurant.

Les propos de Lafleur ont fait sursauter les parents de Cassandra. Quelques jours plus tard, sa mère m'avait téléphoné – je travaillais à cette époque pour *Le Journal de Montréal* – pour s'en plaindre. Elle voulait réagir. C'était quelques semaines avant la date qu'avait initialement fixée le juge Boisvert pour rendre sa sentence, en novembre. J'étais un peu perplexe. Elle avait cassé son lot de sucre sur le dos de Lafleur lors de son dernier passage en cour. Lafleur venait de répliquer. Y avait-il un intérêt à cette seconde réplique ? Sans trop savoir ce que j'en ferais, il fut convenu que la mère et la fille me donneraient une entrevue. Je me disais qu'à la lumière de ce qu'elles me diraient, je déciderais s'il y avait matière à en rajouter ou non.

Après quelques reports, l'entrevue devait avoir lieu le 13 novembre à 15 h dans l'appartement de la jeune fille, dans l'ouest de l'Île-de-Montréal.

À 14 h 50, alors que je roulais sur l'autoroute 20 en direction du *West Island*, mon téléphone portable sonna. La mère de Cassandra, la voix paniquée, le souffle court.

« Mon père vient d'être hospitalisé pour un arrêt cardiaque, je vais à l'hôpital et nous allons devoir annuler l'entrevue », me lança-t-elle avant de raccrocher.

Que pouvais-je opposer à cet argument ? Rien du tout.

Sauf que, quelques minutes plus tard, un collègue attitré à la couverture des affaires policières me téléphona pour m'apprendre une étrange nouvelle.

Selon une de ses sources, Cassandra avait été arrêtée la nuit précédente. Elle rentrait à son appartement, en taxi, aux petites heures. Prétextant que la batterie de son téléphone était à plat et qu'elle avait un appel à faire, elle demanda le sien au chauffeur du taxi, qui accepta. Elle aurait pris le téléphone et placé son appel, tout en sortant du taxi et en montant à son appartement.

Craignant de ne pas revoir son appareil, le chauffeur serait monté au logement de la jeune femme alors âgée de 19 ans. Quand elle le vit, elle aurait sorti une bombonne de poivre de Cayenne de son sac à main et aurait aspergé le pauvre homme. Puis, elle a appelé la police pour se plaindre que celui-ci venait de l'agresser. Les policiers se seraient toutefois fait, après une brève enquête, une tout autre idée de l'affaire.

Plutôt que d'arrêter le chauffeur de taxi pour agression, ils ont arrêté Cassandra pour vol qualifié et port d'une arme dans un dessein dangereux. Elle allait être détenue pendant environ 24 heures avant de comparaître.

J'ai donc vite compris la vraie raison pour laquelle la mère de la jeune femme avait annulé notre entrevue. Je l'ai rappelée, un peu froissé de m'être ainsi fait mentir. Mais, quand je lui ai parlé de la détention de sa fille, elle ne semblait sincèrement pas au courant. Elle s'est excusée du mensonge et m'a avoué qu'elle cherchait sa fille depuis le matin et qu'elle était morte d'inquiétude. Comme à l'époque où elle disparaissait avec Mark sans donner d'indice sur son emploi du temps. Je venais de lui donner la réponse à ses interrogations, une réponse qui la laissa bouche bée.

Le lendemain, vêtue tout de blanc comme une carte de mode à la sortie des boîtes branchées du centre-ville, Cassandra a comparu pour sa mise en accusation, dans la salle 3.07 du palais de justice de Montréal.

Cette fois, contrairement à tous ses derniers passages à la Cour, elle n'était pas à la barre des témoins. Mais dans le box des accusés. Le même box où Mark avait comparu le 1er février 2007 pour être accusé de lui avoir fait souffrir le martyre. L'air fatiguée et outrée, mais resplendissante, elle était accompagnée d'autres femmes accusées de crimes divers, à l'air hagard et au look débraillé.

Cassandra fut relâchée sur-le-champ, au grand soulagement de ses parents présents dans la salle.

Mais ils n'allaient pas tarder à se représenter au palais de justice, au banc des victimes, cette fois.

Quelques jours plus tard, le juge Serge Boisvert remit au 5 février la sentence de Mark. Il le félicita du fait qu'il semblait vouloir lui donner raison de l'avoir libéré, sa conduite étant irréprochable depuis le mois de juin. Il enleva même la condition de demeurer à temps plein chez ses parents et lui permit de se trouver une maison ou un appartement.

15
La deuxième chance

Ce 5 février 2009 fut donc le jour de vérité pour Mark Lafleur.

Plus qu'une sentence, c'est un bulletin de ses derniers mois de liberté, de ses rencontres avec les psychologues, psychiatres et autres agents de probation, qu'allait lui remettre le juge Boisvert.

Le magistrat rendit un jugement étoffé, une vingtaine de pages, comme c'est son habitude.

La première partie de son jugement détaillait les conclusions des experts qui ont dressé le rapport présentenciel du jeune Lafleur.

Ce rapport décrivait Mark Lafleur, comme l'avait fait son père lors de son tout premier témoignage à la Cour, comme un jeune homme à la confiance en soi inexistante qui se sent rejeté par le monde.

« Incapable de se projeter dans l'avenir en raison d'un fort sentiment d'incompétence, il se retranche dans l'instant présent à distance d'un certain nombre de conventions sociales (le travail et tout ce que ça inclut de projets futurs). Ne compte plus que le plaisir, la satisfaction immédiate de ses besoins, une façon, plus ou moins, d'échapper à lui-même. Il est aussi très irritable, enclin à la colère, en raison de ses nombreux échecs et d'une estime de soi très fragile qu'il cherche à préserver coûte que coûte. En résumé, il agit, profite, voire abuse de son entourage, et évite toute réflexion », lisait-on dans ce rapport.

« L'histoire du justiciable est celle, à notre avis, d'un enfant hyperactif qui, à travers les échecs, a évolué, à l'aube de la majorité, vers un mode de pensée et de comportement proche de la personnalité délinquante (impulsivité, instabilité relationnelle, parasitisme, oisiveté, difficulté à gérer l'agressivité, etc.). Victime de son TDAH (trouble du déficit de l'attention avec hyperactivité) et de l'incapacité de son entourage (sans doute compréhensible par ailleurs) à gérer ce problème adéquatement, il n'a jamais vécu de véritable réussite. Au contraire, il a été confronté aux rejets, aux échecs, aux pertes et à l'instabilité (15 écoles !) », pouvait-on lire dans le document, où l'on voyait comme conséquence, parmi plusieurs autres, « une insécurité au plan relationnel et conjugal. Face à la perte ou le rejet qu'il appréhende, il réagit par le contrôle, voire la violence ».

Les auteurs de ce rapport entrevoyaient toutefois du positif à l'horizon dans le cas de Lafleur.

« Nous sommes loin, à notre avis, du délinquant endurci enfermé dans ses résistances. Une brèche a été percée au plan thérapeutique. Monsieur Lafleur est capable d'écoute et son discours n'est pas figé. Son abstinence aux psychotropes contribue à diminuer son niveau d'impulsivité. Bien sûr, la reconnaissance et l'introspection ne sont pas optimales. Cependant, nous observons une volonté de changement et un désir de mieux comprendre les ressorts de sa criminalité (le tout semble authentique) », stipulait le rapport dont les auteurs, en conclusion, estimaient le risque de récidive de Mark Lafleur probable, mais possible à gérer dans la société.

Le psychiatre Pierre Gagné, qui avait déjà suivi Mark Lafleur dans le passé et qui a recommencé à le voir après sa déclaration de culpabilité, en août 2008, avait lui aussi dressé un rapport à l'attention du juge.

« Il fait maintenant une relation directe entre ses troubles de comportement, son agressivité passée en particulier et l'utilisation massive de substances psycho-actives. Il connaît le risque qu'entraînerait une rechute à ce niveau », disait le psychiatre.

« L'image globale que je retiens de Mark Lafleur est celle d'un individu avec un trouble sévère de la personnalité caractérisé par des traits d'immaturité et de narcissisme. Il a encore besoin d'un encadrement serré et d'un suivi psychologique régulier. Actuellement, il est bien motivé à suivre les recommandations qui pourraient lui être imposées par le tribunal et par son agent de probation », enchaînait le Dr Gagné.

Le psychologue de Lafleur, Michel R. Campbell, lui, considérait que Mark était « sur la bonne piste pour éviter de se retrouver devant la justice ! La rechute est possible, quant à la toxicomanie, mais il travaille fort pour rester sobre. Il sait que sa bataille personnelle contre la drogue n'est pas terminée. Sa sobriété est impérative pour atteindre ses objectifs. »

Fort de tous ces renseignements, le juge Boisvert a assez rapidement écarté la possibilité d'envoyer Lafleur en prison. Surtout qu'il avait déjà passé au total environ 11 mois en prison, en attente de son procès.

Il expliqua qu'il ne minimisait en rien la gravité des gestes violents qu'a commis Mark Lafleur à l'endroit de Cassandra. Mais il n'était pas d'accord avec la prétention de Me Sophie Lavergne d'affirmer que le cas de Lafleur représentait le pire qu'elle n'ait jamais vu en matière de violence conjugale. Elle réclamait ainsi 68 mois de prison contre lui.

« Les peines maximales ou les peines se rapprochant des peines maximales doivent par ailleurs être réservées, si ce n'est au pire des contrevenants ayant commis le pire des crimes, du moins aux contrevenants accusés de crimes sérieux, ayant des antécédents judiciaires importants et dont la réhabilitation s'avère douteuse. Selon le tribunal, l'accusé ne correspond pas à ce profil », analysa le juge.

Il retenait tout de même contre le jeune homme des facteurs aggravants. Le comportement violent, répétitif et sur une longue période de temps. En plus de sa totale insouciance au volant de ses voitures de luxe.

« En conduisant dangereusement, l'accusé a mis en péril la vie d'autrui et il n'est dû qu'au hasard que des blessures plus sérieuses et même la mort n'aient résulté de ces conduites téméraires », a précisé le juge Boisvert.

Il n'a toutefois pu s'empêcher de revenir sur la fameuse déclaration de Cassandra, lapidaire pour les parents Lafleur. Cette lettre « n'était pas admissible, car elle visait bien plus à dénigrer la famille de l'accusé qu'à décrire des séquelles des crimes sur la victime », déplorait-il.

« Le tribunal tient à préciser qu'il doit sanctionner Mark Lafleur pour les crimes commis et non punir sa famille pour des actes ou omissions constatés dans l'éducation ou le contrôle de leur fils. Que l'accusé soit le fils d'une personnalité ne peut servir à mitiger la peine ni à l'augmenter. Ce facteur est neutre et ne doit pas être considéré. C'est Mark Lafleur que le tribunal doit sanctionner, un individu qui n'est pas une vedette adulée par le public », ajoutait-il.

Au moment de déterminer la peine, les avocats de la défense plaident presque tout le temps, quand leur client est célèbre ou que son dossier a été médiatisé plus que de coutume, que cette médiatisation à elle seule constitue un facteur atténuant, car elle stigmatise l'accusé et le dissuade de récidiver.

Une arme qui fonctionne peu souvent, et dont Me Mannochio n'a pas tenté de se servir au moment de ses représentations. Mais le juge, lui, a décidé d'en tenir compte dans le cas de Mark Lafleur.

« Dès leur dépôt, les accusations ont été publicisées largement, non pas en raison de leur gravité intrinsèque ni du renom de Mark Lafleur, mais uniquement dû au statut de son père. Cette publicité s'est perpétuée dans les médias, vu les accusations portées contre le père de l'accusé en marge des présentes infractions et force est de constater qu'elle fut également entretenue par un des procureurs de l'accusé. »

Cette dernière flèche lancée par le juge Boisvert peut difficilement viser quelqu'un d'autre que Me Jean-Pierre Rancourt, qui a représenté Mark dans les débuts de sa cause, et son père, dans son procès criminel.

Disons que les causes du père et du fils auraient certainement été très couvertes sans ses interventions, mais Me Rancourt n'a raté aucune occasion de parler publiquement de l'affaire. Il est monté aux barricades et a donné des entrevues incendiaires sur toutes les tribunes qui se sont offertes à lui, dénonçant l'arrestation scandaleuse de son illustre client et entretenant ainsi la couverture médiatique déjà passablement intense à laquelle *Flower* avait droit.

Plaideur habile et rusé, il est aussi l'un des criminalistes qui maîtrise le mieux l'art de faire parler des causes qui lui tiennent à cœur dans les médias. Il faut dire qu'il connaît bien le fonctionnement de ceux-ci, étant lui même actionnaire du groupe Section rouge média, un éditeur de magazines, qu'il a même dirigé de façon intérimaire dans le passé. Outre des magazines aux sujets très variés, Section rouge média éditait jadis les hebdomadaires dédiés à la couverture policière et judiciaire, *Allo Police* et *Photo Police*. L'avocat de Sherbrooke est aussi un des criminalistes québécois qu'on voit le plus souvent dans les médias pour commenter des nouvelles judiciaires.

Peut-être dans cette cause, en a-t-il mis un peu plus que le client en demandait. C'est ce qu'a semblé sous-entendre le juge Boisvert.

Celui-ci poursuivit son jugement en disant que cette couverture médiatique intense « aura par ailleurs un effet dissuasif certain et favorisera la réinsertion sociale des délinquants en démontrant que les tribunaux tiennent compte non seulement du sérieux des accusations, mais aussi des efforts entrepris par les contrevenants dans le but de régler les problèmes à l'origine de leur comportement déviant. »

En outre, elle aura fait de Mark Lafleur une personne si connue qu'il lui sera très difficile de briser les conditions que le juge lui imposera, car si cela arrivait, les chances qu'il soit dénoncé seraient énormes.

Au surplus, « le tribunal tient compte que l'accusé bénéficie du soutien de sa famille, ce qui ne peut que diminuer le risque de récidive », concluait le juge.

Mais la sentence qu'il allait rendre était aussi basée sur un savant calcul mathématique.

Lafleur avait déjà passé 11 mois derrière les barreaux. Comme il s'agissait de détention préventive, ces mois comptent en double, ce qui fait 22 mois. Si le magistrat s'était rendu en partie aux arguments de Me Lavergne, de la Couronne, et avait imposé une peine d'environ deux ans à compter du 5 février 2009, Lafleur aurait été envoyé en prison.

Compte tenu du fonctionnement des systèmes provincial et national de libérations conditionnelles, cela voudrait dire, selon le juge Boisvert, que Lafleur aurait été libéré après quelques mois seulement de détention. Et d'après lui, il aurait difficilement eu le pouvoir d'imposer un suivi thérapeutique rigoureux au jeune homme au-delà de sa période de détention.

« Un emprisonnement avec sursis, suivi d'une longue période de probation, serait plus bénéfique, non seulement pour l'accusé, mais d'abord et avant tout pour la société », a raisonné le juge, indiquant qu'il restait au jeune Lafleur encore beaucoup de travail à faire, mais que ses derniers mois de liberté ont été encourageants.

Il condamnait finalement Mark à une peine de 15 mois de détention avec sursis, ce qu'on appelle communément de la détention dans la collectivité. Pendant les six premiers mois, il devait s'engager à demeurer chez lui 24 heures par jour, et entre 22 h et 6 h pour les six mois suivants, sauf pour rencontrer son agent de surveillance, son psychologue et son psychiatre, et subir toute thérapie qu'on lui imposerait, pour son travail ou pour des raisons médicales. Il lui était en outre interdit de conduire une voiture et de consommer drogue et alcool.

Par la suite, il devait se soumettre à une probation de trois ans dont les conditions étaient similaires à celles de son emprisonnement avec sursis.

« La sentence n'est pas finie, elle commence, et c'est à vous de prendre les bonnes décisions pour votre vie », a lancé le juge à Mark Lafleur avant de clore l'audience.

Cassandra était présente à la Cour ce jour-là avec ses parents. Ils ont eu du mal à digérer cette sentence trop clémente à leur goût. Il ne faut pas oublier qu'ils ont traversé des années d'angoisse et d'insomnie et que leur fille a souffert le martyre. Pour eux, cela valait plus qu'une peine dans la collectivité.

« J'espère au moins que ça le dissuadera de faire subir le même sort à d'autres filles », a simplement commenté Cassandra au sortir de la salle d'audience, avant de se précipiter vers la sortie du palais de justice.

Pour les Lafleur toutefois, c'était la fin d'un premier chapitre éprouvant de cette saga. Ils allaient enfin pouvoir se tourner vers l'avenir. Les prochaines années se présentaient comme un sérieux défi pour le jeune homme et pour ses proches, mais le plus négatif était maintenant derrière eux.

Soulagé, Guy Lafleur ne voulait pas pour autant crier victoire.

« Il va suivre ses thérapies et voir son psychologue et son psychiatre. Il va continuer à faire ce qu'il faisait en attendant sa sentence. [...] C'est important d'y aller étape par étape et de continuer. Ce n'est pas gagné encore », commentait le père devant une horde de journalistes au sortir de la salle d'audience. Son fils l'attendait en retrait, et avait l'air soulagé lui aussi.

Dans les derniers mois, Mark avait travaillé au *Bleu Blanc Rouge* à raison de trois jours par semaine, les autres journées étant dédiées à ses rencontres avec des spécialistes. Son père a apprécié son travail, mais dit avoir été passablement exigeant avec lui.

« Est-ce qu'il aime ça ? l'a questionné un journaliste.

– Non ! » a rétorqué le Démon blond, avec le sourire en coin. Certainement le premier sourire de Guy Lafleur dans un palais de justice depuis l'arrestation de son fils.

« À date, il travaille très fort pour se retrouver dans le bon giron, le bon chemin. Il doit essayer de continuer. L'important pour lui c'est l'avenir, pas le passé. Je suis fier qu'il se prenne en main et qu'il soit positif », a déclaré le père, qui s'est engagé à continuer d'aider son fils tant et aussi longtemps qu'il en aurait besoin.

« Quand il s'agit de ton fils, tes enfants, il faut les aider au maximum. Et je vais continuer de l'aider », a-t-il affirmé avant de quitter le palais de justice avec un Mark Lafleur soulagé, à la mine résolument plus saine qu'au jour de sa mise en accusation.

Voilà, c'était fini. Pour Mark, du moins.

Car le combat de Guy Lafleur, lui, le vrai combat, venait à peine de s'amorcer.

16
Le débat

En plus de la retentissante poursuite qu'il avait intentée plusieurs mois plus tôt, dans laquelle il réclamait 3 500 000 $ au procureur général du Québec et à la Ville de Montréal pour les abus dont il se disait victime par la procureure Me Lise Archambault et par la sergente-détective de la police de Montréal, Françoise Fortin, Guy Lafleur avait déposé devant le juge, Claude Parent de la Cour du Québec, une requête en arrêt des procédures contre lui. Il y invoquait en gros les mêmes motifs que dans sa poursuite.

Abus de pouvoir de la part des autorités, qui auraient très bien pu agir plus discrètement en lui faisant signer une promesse de comparaître. Le clan Lafleur qualifiait même d'illégale cette façon de faire qui violait le « droit de l'accusé à la protection contre la détention ou l'emprisonnement arbitraire tel que garanti par l'article 9 de la *Charte canadienne des droits et libertés* ».

Ce n'est pas Me Rancourt qui plaida cette partie du dossier. Il se contenta, à cette étape, de seconder un autre brillant criminaliste, Me Louis Belleau. Ce dernier est particulièrement efficace dans le genre de dossier où le travail de la police ou de la Couronne est remis en cause. Peu de temps avant de plaider le dossier de Guy Lafleur, il avait réussi à faire écarter de la preuve des conversations enregistrées entre un avocat et un criminel. Des conversations qui démontraient, selon les enquêteurs de la Sûreté du Québec qui avaient piloté le dossier, que l'avocat en question agissait à titre d'intermédiaire et de médiateur pour une grosse organisation de trafiquants de drogue. On l'avait ainsi accusé de gangstérisme. Mais les enquêteurs ne s'étaient pas munis du bon type de mandat d'écoute électronique. Me Belleau avait plaidé avec succès cette cause. Et le retrait de cette partie de la preuve avait été le facteur déterminant dans l'acquittement futur de cet avocat.

C'est plein d'espoir que Guy Lafleur se présenta donc au palais de justice de Montréal, pour une énième fois, le 26 novembre 2008 en espérant voir Me Belleau obtenir à son profit le même succès.

Surtout que, quelques semaines plus tôt, dans une entrevue qu'ils accordaient conjointement au quotidien sherbrookois *La Tribune*, à l'occasion de l'inauguration des nouveaux bureaux de Me Jean-Pierre Rancourt, ce dernier et Guy Lafleur se montraient des plus confiants à l'égard du procès à venir.

« Guy n'a rien fait de mal. Je suis sûr qu'il va être acquitté », affirmait l'avocat.

Ce jour-là, le hockeyeur décrivit au juge Parent l'humiliation subie le 30 janvier dernier quand un mandat d'arrestation a été émis contre lui.

Il a déclaré que, même si Me Rancourt lui avait expliqué qu'en principe, s'il s'engageait à se présenter de lui-même au poste de police, il ne serait pas arrêté, la crainte subsistait chez lui et sa famille.

« Moi, personnellement, que mon avocat m'explique quelque chose, on a tous des *feelings*, puis on pense tous différemment. Et, pour moi, lorsqu'on émet un mandat d'arrestation visé, bien, t'as toujours peur qu'ils l'appliquent le mandat », avait-il dit au juge.

Il ajouta que le fait d'être l'objet d'un mandat d'arrestation le dérangeait plus que le fait d'être mis en accusation.

« Le fait d'être accusé oui, ce sont des choses que t'aimes pas, mais ce sont des choses dont tu peux te défendre. [...] Ce n'est pas aussi dommageable qu'un mandat d'arrestation. [...] Un mandat d'arrestation, ça fait le tour de l'Amérique du Nord », déplora-t-il.

Il se dit certain que, si on l'avait accusé par voie de sommation, la médiatisation aurait été moins intense.

« Je ne connais personne qui voit émettre un mandat contre lui et qui n'est pas un criminel », conclut-il sur ce sujet.

Quant à sa mise en état d'arrestation, le lendemain, elle fut humiliante. Il a raconté que lui et les membres de sa famille ne sont pratiquement pas sortis de chez eux pendant une semaine après la prise de connaissance de ce mandat.

Le seul témoin à s'opposer à ses dires fut celle là même qui l'a mis en état d'arrestation, la sergente-détective Françoise Fortin.

Elle a affirmé qu'elle aurait effectivement pu procéder par voie de sommation plutôt que de faire émettre un mandat d'arrestation visé, mais qu'il ne lui est jamais venu à l'esprit d'agir par sommation pour un crime si grave. Au surplus, elle dit qu'avec une sommation, elle n'aurait eu aucun contrôle sur la date de la comparution de Guy Lafleur, et que cela aurait pu avoir lieu « cinq à neuf mois » plus tard.

Les plaidoiries des avocats eurent lieu le 8 janvier 2009. Me Belleau fit entendre au juge ses arguments militant en faveur de l'arrêt des procédures dans le dossier de Guy Lafleur.

Dans un premier temps, il expliqua qu'il a fallu un certain temps à la police pour mettre la main sur la transcription des témoignages contradictoires, ce qui est normal.

« Mais, il me semble qu'il n'y avait pas vraiment d'urgence à procéder contre M. Lafleur dans la minute après qu'on s'est aperçu qu'il y avait une infraction, opinait Me Belleau. On sait, dès le moment où le deuxième témoignage est rendu, qu'il contredisait le premier et que l'infraction était consommée. Et, c'est seulement le 24 janvier qu'on décide de procéder contre Guy Lafleur. »

La seule raison qui aurait pu justifier l'émission d'un tel mandat selon Me Belleau aurait été pour identifier le suspect, s'assurer de sa présence future dans les tribunaux ou pour éviter de compromettre l'intégrité de la preuve contre lui.

Or, aucun de ces motifs n'était valable puisque l'identification de Lafleur était loin d'être nébuleuse, que la preuve dans son entier était déjà entre les mains de la police, et que Guy Lafleur ne posait aucun risque de fuite, « ce qu'a admis Mme Fortin dans son témoignage. Mme Fortin reconnaît deux fois dans son témoignage que la sommation était disponible pour ce cas-là », a précisé l'avocat.

La sergente-détective Fortin avait, dans son témoignage, invoqué deux raisons pour avoir agi ainsi. Le crime était un acte criminel grave, un acte criminel pur, passible de 14 ans de prison maximum, et cela commandait, selon elle, l'émission d'un mandat. De plus, il y avait urgence d'empêcher Guy Lafleur de continuer d'agir ainsi, surtout qu'il était alors prévu qu'il témoignerait à l'enquête préliminaire de son fils en mars 2008.

« La loi ne fait aucune distinction entre l'acte criminel pur ou l'acte criminel hybride. Il n'y a aucune espèce de lien logique entre l'acte criminel pur et le fait qu'on doive recourir au mandat arrestation. Le Code criminel exige pour l'émission d'un mandat qu'il soit nécessaire, et non utile, agréable ou efficace, mais nécessaire, et c'est le mot important, nécessaire pour faire comparaître le prévenu », a plaidé Me Belleau.

« Un enfant qui imite la signature de ses parents sur son bulletin scolaire, il commet un faux document au sens de la loi. Maintenant, ça ne veut pas dire qu'on va l'accuser, et ça ne veut certainement pas dire qu'on va prendre un mandat d'arrestation contre lui pour le faire comparaître. De la même manière, il ne faut pas seulement s'arrêter à dire que le témoignage contradictoire est une infraction grave, mais il faut regarder de quelle nature sont l'infraction et les faits sous-jacents de l'infraction qu'on reproche à M. Lafleur. Il y a des différences à faire. On peut se retrouver dans une cause de meurtre où les témoignages contradictoires vont donner lieu à un verdict d'acquittement, où il s'agit d'un témoignage de nature cruciale, ou on peut avoir un cas comme celui-ci, où l'infraction alléguée n'a eu aucune espèce de conséquence sur le cheminement du processus judiciaire. Le fait qu'il s'agisse d'un acte criminel pur n'a pas de poids dans le cas présent », analysait l'avocat de Guy Lafleur.

Il s'étonnait aussi de l'argument selon lequel on devait au plus vite faire cesser les actions de Guy Lafleur.

« C'est surprenant puisque le 24 janvier, quand on demande le mandat, il n'y a pas d'agir délictueux en cour. Les témoignages contradictoires ont déjà eu lieu. M. Lafleur ne passe pas son temps à aller de salle en salle pour livrer des faux témoignages. »

Me Louis Belleau citait en exemple un cas de chicane entre voisins qui dure depuis des années, et où il y aurait une plainte pour voies de fait portée par l'un contre l'autre. Ici, il y aurait intérêt à l'émission d'un mandat qui permettrait d'imposer des conditions contre les belligérants pour faire cesser leurs agissements.

Il citait encore le témoignage de la sergente-détective Françoise Fortin qui mentionnait, parmi d'autres arguments, que le mandat devait aussi servir à informer Guy Lafleur « des accusations qui pèsent contre lui. Elle souhaite que ce soit fait dans un délai raisonnable pour permettre à M. Lafleur de pouvoir réagir et s'en remettre. Pour que ça ait un certain effet sur lui en prévision du témoignage qu'il allait rendre dans la cause de son fils. »

« Alors, le but était de disposer M. Lafleur favorablement à la Couronne pour son témoignage dans la cause de son fils le 13 mars suivant », s'indignait le plaideur.

Le juge Michaud, qui a signé le mandat, n'a pas fait son travail non plus selon Me Belleau. Il a ainsi passé en revue les motifs qui figuraient sur le document que lui a remis la policière Fortin et sur lequel devait se baser le magistrat pour émettre ou non le mandat.

« Tout ce qu'on sait en regardant ce document, c'est qu'il s'agit de Guy Lafleur le joueur de hockey, qu'il n'y a pas d'autre accusation à venir, qu'il n'y a pas de condition suggérée, pas de motif d'objection à sa remise en liberté, pas de victime, aucun dommage, pas de violence, pas d'arme, pas de casier judiciaire. Pas un mot sur la nécessité d'un mandat d'arrestation, il n'y a même pas une demande de mandat », a-t-il critiqué.

Le seul élément, précisait-il, qui laissait deviner que la police souhaitait l'émission d'un mandat, c'était un petit X dans une case à côté de laquelle il était inscrit que le dénonciateur demande l'émission d'un mandat.

Ainsi, Guy Lafleur a été victime d'un abus de pouvoir et d'une série de gestes arbitraires dénotant l'incompétence de tous ceux qui ont touché à son dossier.

« Selon la *Charte canadienne des droits et libertés*, tout le monde a droit à la protection contre la détention arbitraire. Ici, ceux qui sont chargés de protéger le public contre cette violation de leurs droits, le procureur et le juge, ne l'ont pas protégé. Ils l'ont soumis, sans preuves à l'appui, à une violation de ses droits constitutionnels. »

Il donnait en exemple cette tentative avouée par la sergente-détective Fortin, quand Guy Lafleur s'est rendu au poste de police, de l'interroger sans la présence de son avocat. Demande refusée par l'ex-hockeyeur.

« M. Lafleur est un brave homme et il n'est pas difficile de le faire parler. N'eut été la présence de son avocat, on aurait peut-être réussi à en tirer quelque chose. Il est évident que Mme Fortin voulait rencontrer M. Lafleur sans la présence de son avocat. Et elle a posé des gestes concrets pour y arriver. »

Il accuse tous les intervenants dans ce dossier d'avoir agi en sachant très bien que leur action était d'une légalité douteuse.

« Tout le monde savait. Le procureur de la Couronne était présumé connaître la directive du Directeur des poursuites criminelles et pénales qui l'obligeait à recourir à la sommation, la policière reconnait que la sommation était disponible pour faire comparaître M. Lafleur, le juge avait l'obligation de s'assurer qu'on lui avait présenté des motifs raisonnables pour émettre un mandat. Rien de ça n'a été fait. Soit par grossière négligence ou de propos délibéré, trois intervenants du système de justice qui participent à la préparation du dossier agissent d'une manière illégale. On savait parfaitement qu'on allait causer du tort à M. Lafleur et on a agi en sachant ça. »

Et tout ça n'aura servi à rien, selon Me Louis Belleau.

« Qu'est ce que ça a donné à part jeter le discrédit sur le système de justice ? Rien. Aucune espèce d'utilité. M. Lafleur se serait conformé à une sommation, le dossier aurait suivi son cours. [...] Vous avez maintenant un citoyen honorable blessé et aigri, qui a perdu confiance dans le système de justice », a déploré Me Belleau.

Par une longue revue de la jurisprudence canadienne en la matière, il a ensuite fait valoir au juge Claude Parent que rien, sauf un arrêt de procédure, ne pouvait remédier au préjudice subi par Lafleur.

Inutile de dire qu'en réplique, Me Lori Renée Weitzman, procureure aux poursuites criminelles et pénales, a défendu bec et ongles le travail de sa consœur, de la police et du juge de paix.

« Notre position est qu'il n'y a jamais eu de mauvaise foi, de motif oblique ou d'intention malveillante par quiconque dans ce dossier. Tous les intervenants ont exercé leur pouvoir discrétionnaire de façon légitime à la lumière du crime dont il s'agissait », a-t-elle débuté.

Elle a rappelé que livrer des témoignages contradictoires est un des crimes les plus graves inscrits dans le Code criminel.

« On accuse quelqu'un d'avoir sciemment donné des témoignages contradictoires devant le tribunal. C'est un crime qui est commis à l'encontre du système de justice, qui affronte les principes et les règles qui gouvernent l'administration de la justice. C'est une attaque de front contre le processus judiciaire. Il ne faut pas passer cela sous silence, c'est un crime grave », a-t-elle justifié, revenant encore sur la notion d'actes criminels purs pour lesquels l'intérêt public commande une arrestation.

« Il y a certains crimes pour lesquels l'arrestation avec ou sans mandat et non la sommation est appropriée par la nature même du crime. C'est là-dessus que je plaide. On voulait un arrêt d'agir rapide, mais il va de soi que, si on n'était pas confronté à un crime grave, l'urgence n'aurait pas justifié à elle seule une détention. »

Elle y est ensuite allée d'une comparaison plus que hasardeuse pour faire bien saisir au juge que l'intérêt public commande l'arrestation pour certains crimes.

« Prenons quelqu'un qui a commis un meurtre ou une haute trahison, et qu'on arrête 20 ans plus tard. Il a refait sa vie, est marié, a des enfants et est président d'une compagnie. Tout cela nous donne d'excellentes garanties qui pourraient nous rassurer de procéder par sommation. Mais, est-ce qu'on peut penser que l'intérêt public réclame qu'on ne fasse pas plus que cogner à sa porte et lui faire signer sommation ? Il faut l'arrêter. Sommes-nous ici dans la gamme de ce genre de crime ? C'est la seule question qui demeure. Moi, je vous soumets que oui. »

Cette comparaison de Me Weitzman a semblé boiteuse aux yeux du juge Parent, qui lui a fait valoir que, pour une accusation de meurtre, l'arrestation et la détention vont de soi.

« Nous avons un crime punissable de 14 ans de prison, un acte criminel pur, qui se commet publiquement, devant la Cour. Ça affecte les valeurs fondamentales sur lesquelles repose notre système de justice. Nous avons un cas où le mandat d'arrestation était tout à fait approprié », a tout de même réitéré Me Weitzman.

Elle a par ailleurs fait valoir que rien dans la preuve présentée par Me Louis Belleau ne permet de conclure que les acteurs de ce dossier ont volontairement voulu humilier Guy Lafleur parce qu'il était connu.

« Il n'y a aucune preuve quelconque que le fait qu'il s'agisse de Guy Lafleur, une personne notoire et bien connue, ait influencé quiconque dans ce cas-là. Les seules actions prises parce qu'il s'agissait de lui l'ont été en sa faveur. [...] La détective Fortin a même pris des mesures extraordinaires pour assurer le respect de la vie privée de M. Lafleur », assurait Me Weitzman.

« Pendant sa détention, qui a duré 15 minutes, il a été traité avec courtoisie au point qu'il a remercié la sergente-détective à la fin. Comment peut-on, à ce moment-là, parler d'une détention arbitraire qui viole ses droits ? Est-ce une détention arbitraire, despotique et injustifiable ? Ou est-ce plutôt une détention un peu technique ? » a-t-elle demandé.

Me Weitzman réfutait également avec vigueur l'argument du clan Lafleur selon lequel cette conduite des autorités judiciaires « choquerait la collectivité ».

L'avenir allait toutefois lui donner tort sur ce dernier point.

Et, pour elle, si le juge en arrivait à la conclusion que l'arrestation de Lafleur était illégale, l'arrêt des procédures serait un remède beaucoup trop drastique pour remédier au problème. Elle indique que la poursuite en dommages et intérêts serait plus appropriée, tout en rappelant que Guy Lafleur a déjà déposé une telle poursuite.

Au terme de l'audience, le juge Parent annonça qu'il prenait la cause en délibéré et qu'il rendrait sa décision le 11 février 2009.

C'était une semaine à peine après que le juge Boisvert eut accordé une peine de prison dans la collectivité à Mark Lafleur. Quand il s'est pointé au palais de justice ce jour-là, Guy Lafleur espérait bien recevoir une deuxième bonne nouvelle en quelques jours.

Mais ce n'est qu'une demi-victoire que lui accorda le juge Parent.

D'emblée, le juge rejetait l'argument de la policière Fortin selon lequel il était urgent d'arrêter Guy Lafleur le 31 janvier 2008 pour l'empêcher de continuer à livrer des témoignages contradictoires à la Cour. À l'époque, il était prévu que le père témoigne le 13 mars à l'enquête préliminaire de Mark Lafleur.

« Ce motif ne peut être retenu comme un facteur justifiant l'émission du mandat d'arrestation, puisque l'objectif recherché pouvait être atteint par l'émission d'une sommation », a tranché le juge Parent.

Il ne restait qu'à trancher la question de la gravité de l'infraction.

« Il existe certains crimes au Code criminel dont la gravité objective fait en sorte qu'il y aura nécessairement arrestation, avec ou sans mandat, puisque le législateur a prévu que la détention du prévenu devra être ordonnée à sa comparution jusqu'à ce que le prévenu démontre que sa détention sous garde n'est pas justifiée. Il s'agit de tous les crimes énoncés à l'article 469 (notamment, le meurtre, la haute trahison, la corruption de la justice par le détenteur de fonctions judiciaire) et de certains des crimes mentionnés à l'article 515(6) du Code criminel. Le crime de témoignages contradictoires ne fait pas partie de cette liste de crimes où le fardeau de la preuve incombe à l'accusé quant à sa remise en liberté et où, par conséquent, l'accusé devrait comparaître, détenu après avoir été arrêté avec ou sans mandat quelles que soient les circonstances de l'affaire », a analysé le juge.

« Le tribunal en arrive à la conclusion que la preuve présentée à l'audience ne révèle pas de motifs raisonnables et probables de croire qu'il était nécessaire, dans l'intérêt public, de décerner un mandat pour l'arrestation du requérant. Le recours au mandat d'arrestation plutôt qu'à la sommation a donc violé le droit de l'accusé à la protection contre la détention arbitraire tel que prévu à l'article 9 de la *Charte canadienne des droits et libertés* », a-t-il poursuivi.

À cette étape du jugement, Me Weitzman avait la mine plutôt basse, alors que la pression semblait se relâcher chez Guy Lafleur.

Mais, la deuxième partie, la plus importante, allait se révéler décevante pour lui. Le juge devait décider si cette violation des droits de Lafleur lui avait causé des dommages graves au point où l'arrêt des procédures devenait la seule réparation possible.

« Dans son témoignage, M. Lafleur indique que : “Une sommation, ça ne fait pas le tour de l’Amérique du Nord”, ce qui a été très humiliant pour lui. La Cour ne partage pas cette vision des choses. Le fait que Guy Lafleur comparaisse devant la chambre criminelle pour répondre à une accusation de témoignages contradictoires allait nécessairement faire l’objet d’innombrables reportages, peu importe le mode de comparution. La notoriété du requérant ne peut être reprochée au ministère public. »

Il poursuit son raisonnement en mentionnant que la poursuite du procès de Guy Lafleur ne perpétuerait pas le préjudice que lui ont causé la police et la Couronne et, tout en déclarant illégale la mise en état d’arrestation de l’ex-vedette du Canadien, il estimait que son procès devait tout de même avoir lieu.

C’était une douche froide pour le Démon blond.

Car, au procès, la preuve contre lui était plutôt simple. Elle reposait uniquement sur les deux témoignages qu’il avait rendus, et la contradiction entre les deux était claire.

Les options de défense étaient peu nombreuses ; Me Rancourt allait devoir se creuser les méninges pour trouver une porte de sortie.

17
La déconfiture

Le 16 avril 2009, le palais de justice de Montréal allait être assailli par les journalistes.

C'était le moment de vérité. Le procès de Guy Lafleur s'ouvrait.

Me Lori Renée Weitzman fit témoigner la sergente-détective Josée Gagnon, qui expliqua au juge Parent le dossier de Mark Lafleur et le contexte dans lequel Guy Lafleur avait livré les deux témoignages incriminés, et fit entendre au juge ces deux témoignages. D'abord celui du 19 septembre 2007, dans lequel il jurait que son fils avait toujours respecté ses couvre-feux quand il passait la fin de semaine chez ses parents. Puis, sa déposition du 15 octobre, dans laquelle il admettait avoir conduit son fils à deux reprises dans des hôtels où il passait la nuit avec sa nouvelle copine.

Guy Lafleur eut ensuite l'opportunité, pour une fois, d'expliquer pourquoi il avait livré deux témoignages différents l'un de l'autre.

« Pourquoi avez-vous passé sous silence les nuits de votre fils à l'hôtel lors de son premier témoignage devant le juge Robert Sansfaçon ? », lui demanda d'entrée de jeu son avocat, Me Jean-Pierre Rancourt.

« Pour moi, le couvre-feu, ça ne voulait pas nécessairement dire que ça devait être à la maison. Pour moi, ce qui était important, c'était qu'il ne consomme pas, et qu'il respecte le couvre-feu, a-t-il expliqué. Pour moi, dans le premier témoignage, je n'ai jamais pensé à le dire. L'important, c'était qu'il respecte les deux conditions. Pour le juge aussi. C'est là-dessus que portaient les questions. Personne à l'Exode (où Mark était en thérapie durant la semaine) ne m'a dit qu'il fallait qu'il reste continuellement à la maison. »

Il réitéra pour une énième fois que, quand son fils était à l'hôtel, il respectait tout de même son couvre-feu.

« J'allais le conduire et le chercher à l'hôtel. Je m'assurais qu'il respecte le couvre-feu, car il m'appelait ou je l'appelais. Mark faisait de gros efforts, il me tenait au courant de ses allées et venues. Vous savez, monsieur le juge, quand il était à la maison l'Exode, il pouvait sortir à 8 h 30 le matin et revenir à 11 h le soir, et il n'y avait aucune surveillance sur ses allées et venues, avec qui il était. À la maison, il avait une surveillance totale, je savais toujours où il était, avec qui. »

Selon lui, son omission de parler des nuits à l'hôtel de son fils est plausible, car il avait aussi oublié de mentionner, qu'à quelques occasions, quand Mark logeait à l'Exode, il avait passé certaines de ses fins de semaine avec ses parents, non pas à leur maison de l'Île-Bizard, mais dans la suite de la famille Lafleur au *Days Inn* de Berthierville, car sa femme et lui travaillaient ces semaines-là. Ça aussi, il ne le mentionna qu'à son second témoignage devant la juge Cohen, et ce n'était pourtant pas une information cruciale qui était de nature à nuire à la libération de Mark, comme les nuits avec sa copine à l'hôtel.

Le contre-interrogatoire mené par Me Weitzman fut évidemment plus corsé. Répétant plusieurs fois les mêmes questions à Guy Lafleur et montrant son incrédulité face à son témoignage selon lequel il n'a jamais su que son fils n'avait pas le droit de passer des nuits ailleurs que dans la maison familiale, elle a poussé *Flower* dans ses derniers retranchements, le faisant hésiter, bafouiller et sortir de ses gonds.

« Le sens du couvre-feu, c'était qu'il respecte ses heures d'entrée. Chez nous, ou à l'hôtel. Ce n'est pas arrivé souvent, une ou deux fins de semaines, a martelé l'homme. Si l'Exode m'avait dit : *il faut qu'il couche chez vous*, je ne l'aurais pas mené à l'hôtel et ne serais pas allé à Berthierville avec lui. Je me serais mis dans le trouble. »

Puis, à force de se faire répéter la même question, Guy Lafleur a explosé.

« Mark a toujours fait de gros efforts, même s'il a eu des rapports négatifs. Il a fait des efforts, il en fait encore, c'est un jeune qui s'améliore, c'est mon fils, puis j'ai tout fait en tant que père de famille pour aider mon fils et je vais continuer à le faire, a-t-il lancé à Me Weitzman. Vous savez, lorsqu'on témoigne en cour, il y a une énorme pression pour moi. On vit un enfer depuis deux ans, c'est stressant de savoir que les journalistes sont ici et épient chacun de nos gestes et écoutent les mots, ce n'est pas évident, monsieur le juge », a-t-il enchaîné avec émotion.

Il concédait qu'il avait peut-être commis une erreur en permettant à son fils d'aller passer des nuits à l'hôtel pendant les fins de semaine où il demeurait chez lui. Mais il a répété à qui voulait l'entendre que, pour lui, il n'y avait que le couvre-feu et la non-consommation de drogue qui étaient importants. Dans un contexte de réinsertion sociale, ces nuits avec sa nouvelle copine étaient une bonne mise à l'épreuve, selon le père de Mark. Mais jamais il n'avait voulu contrecarrer la justice, a-t-il juré.

« Si j'avais voulu cacher quelque chose à la Cour, ou induire quelqu'un en erreur, je ne serais pas ici aujourd'hui, parce que je n'aurais tout simplement pas témoigné en cour la deuxième fois, sachant que j'allais me faire parler de ces nuits à l'hôtel. Je ne l'aurais pas fait. Mais j'ai témoigné parce que je n'avais rien à cacher.

– Parce qu'on avait la preuve, l'a interrompu Me Weitzman.

– Je l'ai su avant, oui, mais j'avais le choix de témoigner ou pas. Je l'ai fait parce que je n'avais rien à cacher », a réitéré Guy Lafleur, visiblement agacé par cet acharnement de la procureure.

Dans sa plaidoirie, Me Rancourt a indiqué au juge que les deux témoignages n'étaient pas nécessairement contradictoires, que, dans le premier, Lafleur avait plutôt omis ou oublié de dévoiler un détail. Il n'avait pas menti délibérément.

« Son explication peut paraître ambiguë, mais elle est quand même plausible. Tout ce qu'il a à faire devant vous, c'est de soulever un doute raisonnable », a ajouté l'avocat sherbrookois.

Me Lori Renée Weitzman, elle, a martelé que Guy Lafleur avait tenté d'induire la Cour en erreur parce qu'il avait intérêt à le faire. Ce n'est que parce qu'il savait la Couronne en possession des reçus d'hôtel de son fils qu'il a admis lui avoir permis de découcher.

« Quand il a voulu tout faire pour aider son fils Mark, il a tout fait, incluant mentir, a exposé la procureure. Qu'il dise qu'il voulait aider son fils dans sa réinsertion sociale en lui permettant d'aller à l'hôtel avec sa copine, je veux bien. Mais il n'avait pas le droit de mentir à la Cour, de le cacher à la Cour, ça non ! »

Le sort du Démon blond se retrouvait entre les mains du juge.

Et Claude Parent n'allait pas le faire attendre trop longtemps.

Le 1er mai, il allait rendre une décision qui pourrait soulager Lafleur d'un poids énorme, ou chambouler sa vie à jamais.

« Dans son témoignage devant la juge Cohen, le 15 octobre, l'accusé mentionne qu'à deux occasions, il est allé reconduire son fils au motel avec sa copine, alors que ce dernier était soumis à diverses conditions de remise en liberté. Ces faits, manifestement fort pertinents dans le cadre d'une demande de remise en liberté, n'ont jamais été mentionnés par l'accusé lors de son témoignage devant le juge Sansfaçon, le 19 septembre. La question à trancher est donc celle de savoir si la preuve établit hors de tout doute raisonnable que ces omissions étaient volontaires et si elles avaient pour but de tromper le tribunal », résume le juge Parent au début de son jugement.

Selon le juge, une des réponses données par Lafleur est évocatrice du fait qu'il savait très bien que son fils n'avait pas le droit de coucher ailleurs que chez lui les fins de semaine où il ne résidait pas à la maison l'Exode.

« N'est-il pas vrai que vous avez très bien compris que l'adresse où il devait coucher, c'était chez vous ? lui a demandé Me Weitzman.

– Pas vraiment, a bafouillé l'ex-vedette du hockey. Je ne sais pas ce qu'il marquait [sur la fiche qu'il remplissait à ses retours à l'Exode], sûrement qu'il a dû marquer [qu'il restait] à la maison parce qu'il ne voulait pas le dire [qu'il découchait], parce que moi, je lui demandais. Lorsqu'il m'a demandé d'aller à l'hôtel, je lui ai dit : *écoute, as-tu le droit* ? Il a dit : *oui, en autant que je suis rentré à l'heure.* »

Pour le juge, « cette réponse démontre clairement que l'accusé savait que son fils avait obtenu la permission habituelle de résider à la maison de ses parents, mais qu'il n'avait jamais mentionné aux autorités (de l'Exode) son intention d'aller à l'hôtel et n'avait donc aucune autorisation pour ce faire.

L'analyse des réponses données par l'accusé, tant au juge Sansfaçon que devant moi, démontre de façon non équivoque, que l'accusé a menti lors de son témoignage du 19 septembre en évitant de mentionner les nuits que son fils avait passées à l'hôtel. Compte tenu de la précision des questions posées, l'accusé ne peut prétendre que ça ne lui est pas venu à l'esprit. »

Le juge Parent ira plus loin, estimant que M. Lafleur a clairement menti pour éviter la prison à son fils.

« Il est logique de penser que Guy Lafleur a compris que s'il disait au juge Sansfaçon qu'avec son aide, son fils avait brisé ses conditions de résidence et de couvre-feu, ses chances de remise en liberté auraient été bien minces, voire nulles », a opiné le magistrat.

« Compte tenu de ce qui précède, la Cour déclare : qu'elle ne croit pas l'accusé lorsqu'il dit avoir oublié de mentionner au juge Sansfaçon les escapades de son fils ; que sa version des faits ne soulève pas de doute raisonnable quant à son intention de tromper la Cour ; et donc, l'accusé est déclaré coupable de témoignages contradictoires », concluait le juge Claude Parent.

Pendant toute la lecture de la décision le déclarant coupable d'avoir menti au tribunal, Guy Lafleur a écouté le juge démolir ses prétentions sans broncher.

« Il est très attristé. Il espérait un acquittement. S'il est resté stoïque, c'est qu'en tant qu'ancien joueur de hockey, il est capable de gérer son stress », allait déclarer son avocat, Me Rancourt, à la fin de l'audience.

Mais, avant de quitter la salle d'audience, les deux procureurs ont fait entendre au juge les représentations sur la peine que devrait purger Guy Lafleur.

Me Weitzman demanda une peine de prison avec sursis, dans la collectivité, de deux ans moins un jour.

Me Rancourt, lui, martela qu'une amende serait bien suffisante pour son célèbre client.

« Un mandat d'arrestation a été émis contre lui. Il a été arrêté. Tout cela a été médiatisé. Sa culpabilité va l'être aujourd'hui. Le gros de la sentence a été rendu », a-t-il fait valoir.

« Pourquoi punir davantage Guy Lafleur ? Il l'a été pas mal jusqu'ici. Il a un dossier judiciaire, ce qui l'empêchera de se rendre aux États-Unis où il a des affaires. Cette conséquence immédiate est très dommageable pour lui parce qu'il y allait régulièrement, chaque mois. Il y travaille pour le Canadien de Montréal, Bell Hélicoptère et d'autres affaires », a renchéri l'avocat de la défense.

Même si la sentence de Guy Lafleur n'était pas encore rendue, lui et Me Rancourt avaient déjà en tête la Cour d'appel, le plus haut tribunal du Québec, à laquelle il demanderait de réviser le verdict de culpabilité contre Lafleur.

Le 27 mai, Lafleur, par l'entremise de l'avocat Me Gilles Ouimet, allait déposer son avis d'appel qui, à ce jour, n'a toujours pas été entendu.

18
Le défoulement collectif

Revenons au 18 juin 2009. Ce jour fatidique où le Démon blond devait effectuer son dernier passage dans le lugubre palais de justice montréalais.

Il croyait qu'une bonne nouvelle l'attendrait.

Mais il en fut autrement.

Peu importe la sentence que lui imposerait le juge Claude Parent, elle aurait bien peu d'importance pour Guy Lafleur, car il était désormais marqué au fer rouge. Techniquement, au sens de la loi, il était un criminel. Avec tous les inconvénients que cela comporte. Il ne sera pas forcé d'arrêter de voyager aux États-Unis, mais ça lui compliquera considérablement la vie. Il devra demander une exemption au *Homeland Security Department* des États-Unis pour pouvoir traverser la frontière en toute légalité.

Il se sentait humilié, sali par une justice qui a commis de graves excès de zèle à son égard. Il était affaibli et épuisé.

À 14 h 30 pile, il fit son entrée dans la salle d'audience pour connaître son sort de la bouche du juge Parent, prêt à le punir pour ce crime. Crime qu'il jurait toujours ne jamais avoir commis.

Cette fois, cela sera très bref.

Le juge Claude Parent expliqua qu'il ne trouvait aucun facteur aggravant au dossier de Guy Lafleur, et que le fait qu'il ait agi, non pour son profit personnel, mais pour aider son fils, était plutôt une circonstance atténuante.

Il le condamna ainsi à une probation d'un an, au cours de laquelle il ne devait respecter qu'une seule condition, soit de garder la paix. Il devait en outre faire un don de 10 000 $ à la fondation Dollard-Cormier, qui encourage les programmes de désintoxication pour consommateurs de drogues, alcooliques et joueurs compulsifs.

Même si le dénouement était loin d'être celui que souhaitait Lafleur, c'était enfin fini. Ou presque.

Il restait bien la Cour d'appel, qui entendrait probablement son cas un an et demi plus tard. Et, heureusement, il n'aurait pas à s'y présenter puisque les auditions n'y sont généralement que le théâtre de longues plaidoiries d'avocats sur des points bien techniques.

C'est néanmoins un Guy Lafleur dépité qui quitta le palais de justice de Montréal ce jour-là, avec l'impression d'avoir été floué par ce système de justice qu'est le nôtre, ce système qui tolère que de dangereux gangsters et des ex-époux mentent effrontément chaque jour devant les juges pour tenter d'obtenir une décision en leur faveur.

Peut-être allait-il pouvoir trouver un peu de réconfort dans le raz-de-marée de sympathie que fit déferler sa déclaration de culpabilité, puis sa condamnation à un an de probation.

Tous les chroniqueurs sportifs de Montréal allaient se faire les grands défenseurs du Démon blond, selon eux, traité abominablement par une justice mesquine qui a voulu faire un exemple de ce père de famille bien intentionné, riche et célèbre, contre qui il était facile de monter une preuve.

Le premier à s'exprimer fut Bertrand Raymond, sur le site Web *RueFrontenac.com*. En réalité, c'est par la bouche d'un autre qu'il s'exprima. Dans sa chronique du 1er mai, quelques heures après la déclaration de culpabilité du Démon blond, Raymond reproduisit une lettre sur laquelle il avait mis la main, écrite à Lafleur par un de ses vieux complices, Yves Tremblay. Tremblay était un intime de Lafleur depuis 36 ans. C'est cet homme qui avait orchestré le spectaculaire retour au jeu de Lafleur en 1988 avec les Rangers de New York. La lettre était intitulée *Dieu m'a donné la chance de connaître Guy Lafleur*. En voici les principales lignes.

« Au cours de ces 36 années, oui, comme tout le monde, j'ai applaudi les exploits de Guy Lafleur l'athlète…

Mais j'ai surtout été impressionné par Guy Lafleur l'homme, avec qui j'ai eu l'immense joie de comprendre la vie.

Je l'ai vu rire, pleurer, être sérieux, taquin, vouloir plaire à tout le monde, ne jamais décevoir qui que ce soit… ou dire tout haut ce que tout le monde pensait tout bas.

Je l'ai vu maintes et maintes fois, plein de bonté et de compassion, avec la larme à l'œil, aller réjouir des enfants en phase terminale dans des hôpitaux, ou réconforter des gens malades à qui il ne restait que quelques jours à vivre, ou même leur tenir la main jusqu'au dernier souffle.

Je l'ai vu tendre la main à des plus défavorisés et poser les gestes les plus généreux sans que personne ne le lui demande, comme très peu d'athlètes le font.

Il agissait toujours sans tambour ni trompette parce qu'il ne voulait pas que les médias en fassent un plat. Il le faisait tout simplement parce que c'était dans sa nature, comme le lui avaient montré ses très humbles parents, ces mêmes bons parents qui lui avaient enseigné les mots honnêteté, détermination et générosité, tout juste avant qu'il quitte le foyer familial vers l'âge de 12 ans pour aller à Québec afin de commencer sa vie d'adulte.

Comme tous les papas, je l'ai vu jouer et se rouler par terre dans son salon avec Mark, son fils, alors que ce dernier n'était qu'un enfant. Je me souviens que ce petit était espiègle et adorable. Mais la vie étant ce qu'elle est, Mark, par la suite, devait avoir à vivre ses « propres » expériences afin de comprendre un jour… ce qu'il avait à comprendre.

J'ai aussi connu Lise, son épouse, et Martin, leur fils aîné. Et, croyez-moi, ils sont comme vous et moi : ils vivent au quotidien la même sensibilité, les mêmes joies, les mêmes peines et les mêmes rêves. Cette famille est une famille comme la majorité de nos familles, sauf que le père, protecteur et fidèle, est devenu une légende vivante dont le moindre geste, avec ou sans raison, prend une ampleur démesurée.

J'ai vu aussi Guy faire des erreurs comme nous tous, mais des erreurs humaines sans malice et sans arrière-pensée !

Aujourd'hui, Guy Lafleur est victime de ses grandes qualités. Mais il restera toujours l'un des hommes les plus honnêtes et généreux que vous puissiez rencontrer dans votre vie. Et ça, personne, non personne, ne pourra jamais rien y changer !

Guy, je suis fier d'être ton ami ! »

Bertrand Raymond allait en remettre une couche trois jours après la déclaration de culpabilité de Lafleur. Pour lui, *Flower* n'avait commis aucun crime et n'a jamais tenté de cacher ceux qu'a commis son fils. Il a plutôt péché par amour, ce que le juge Claude Parent ne semble pas avoir compris, d'après lui.

« Parce qu'il s'agit de son fils, *et parce que ton enfant reste toujours ton enfant*, comme il l'a déjà expliqué, il a fait tout ce qu'il fallait pour l'épauler. L'un des plus grands athlètes que le Québec ait connus s'est donc humilié à maintes reprises en marchant sous les feux brûlants des caméras dans les couloirs du palais de justice dans l'unique but de lui faire comprendre que loin de l'abandonner, il allait tout faire pour l'accueillir à la maison et le protéger, une fois sa dette remboursée à la société.

Lafleur ne paradait pas dans des cours de justice pour convaincre juge et avocats de l'innocence de son garçon. Il n'avait rien contre le fait qu'il réponde de ses actes et qu'il en paie le prix. L'une de ses intentions, par contre, était de faire comprendre à la Couronne et au juge tout ce que ça voulait dire comme inquiétude et comme abnégation pour des parents que d'avoir un enfant comme le sien.

Pas sûr que le juge responsable du casier judiciaire de l'idole québécoise ait compris ça, car il faut généralement être passé par là pour savoir ces choses-là.

Lafleur n'a pas commis un crime au sens large du terme. Il a commis un impair, une bourde sur laquelle la justice n'a pas fait de compromis. Elle a plutôt fait la preuve qu'il a glissé sur la mauvaise patinoire en voulant protéger un enfant atteint d'une maladie mentale et déjà rejeté par 13 maisons d'enseignement en plus bas âge. Elle n'a pas fait de compromis pour lui, même si elle en fait régulièrement pour des dizaines et des dizaines de témoins qui lui mentent effrontément et qui quittent ensuite les lieux le sourire aux lèvres, fiers d'avoir pu déjouer le système », déplorait le chroniqueur, qui accusait ensuite les officiers de justice affectés au dossier de Lafleur de l'avoir choisi comme bouc émissaire pour faire passer un message au peuple.

« Avec Lafleur, on avait un très gros poisson entre les mains, une icône sportive, un gars aimé et respecté. On s'est dit qu'il était le personnage idéal pour faire passer le message que la justice est la justice. On ne rigole pas avec ça, même si des bandits notoires le font impunément », tempêtait le vétéran chroniqueur.

Dans la deuxième partie de ce long plaidoyer en faveur de l'ex-superstar du Canadien, Raymond remarquait que, malgré la détresse dans laquelle l'a plongé toute cette saga, le numéro 10 reste droit comme un chêne.

« Il regarde la vie en face, comme il vous regarde droit dans les yeux quand il vous adresse la parole. Lafleur est le plus impensable et le plus improbable des criminels. On peut difficilement imaginer que son nom soit associé à un dossier criminel. Pourtant, chaque fois que cette malheureuse histoire fait le tour de l'Amérique, il n'est jamais question de Mark Lafleur. C'est du Démon blond qu'il s'agit, de celui qui a soulevé les foules durant sa carrière et qui vient de tomber bien bas aux yeux de ses fans mal renseignés hors Québec. On ne se préoccupe pas des détails qui l'ont conduit là. On retient seulement qu'il est passé en cour pour une sombre histoire de famille et qu'il en est sorti, on ne sait trop pourquoi, avec un dossier. »

La chute de ce texte était à la fois un mot d'encouragement et un hommage, adressés personnellement par Raymond à Lafleur et à ses proches.

« Ceux qui ont la chance de lui serrer la main vous diront qu'une énergie spéciale s'en dégage. Lafleur n'a pas la main molle du gars tiède qui se dérobe à la plus petite occasion. Il est fait tout d'un bloc. Un bloc humanitaire, chaleureux et généreux qui n'a jamais su dire non.

Je ne vous raconterai pas tout ce que je l'ai vu faire pour des gens qui réclamaient sa présence, très souvent en quête d'un soutien moral. Quand Guy Lafleur, que son public appelle amoureusement *Flower*, vient faire un brin de jasette à quelqu'un qui n'en a plus pour longtemps sur cette Terre, il achète du temps pour cette personne. Il lui refile une énergie qui lui permet, dans certains cas, de s'accrocher quelques jours de plus. Je le sais ; j'en ai été témoin.

Ce genre d'histoire fait culbuter un entourage familial. Aujourd'hui, cet homme d'apparence inébranlable dort mal. Sa femme, Lise, qui a sombré dans la dépression quand Mark a été arrêté et jeté en prison, a maintenant une santé chancelante. Comment peut-elle bien se sentir avec un fils et un mari possédant tous les deux un casier judiciaire ? Comment Guy et elle peuvent-ils envisager un avenir positif quand le passé et le présent les marquent aussi cruellement au fer rouge ? » questionne le réputé chroniqueur de *RueFrontenac.com.*

Le lendemain, dans *La Presse*, son concurrent, Réjean Tremblay se fit moins touchant, mais encore plus cinglant à l'égard du système de justice québécois dans son papier intitulé *Vous appelez ça la justice?*

« Justice et jugement devraient se retrouver. La racine latine est la même pour les deux mots. On devrait donc avoir un jugement sain et humain rendu par un juge libre pour que la justice soit respectée et appliquée.

Mais, dans une société où la justice est devenue une vulgaire partie sportive que se disputent des avocats et où ce sont les plus sournois, les plus retors, parfois les plus habiles et où la compétence des avocats se mesure au nombre de coupables qu'on fait acquitter, arrive Guy Lafleur.

Tout le monde va vous répéter ad nauseam les grands principes. Il faut que la justice soit la même pour tout le monde. Il faut que les riches et les célèbres soient jugés comme un pauvre inconnu.

C'est ça. Et quand une procureure de la Couronne oublie complètement le bon sens et un sain jugement, il arrive alors qu'un père de famille comme Guy Lafleur soit jugé coupable et devienne un criminel parce qu'il a sacrifié une partie de sa vie à tenter d'aider son fils à se sortir du pétrin où il s'était englué depuis sa petite enfance.

La Couronne a beau dire ce qu'elle voudra, elle ne convaincra jamais le peuple. J'ai discuté du cas Lafleur avec 100 personnes depuis vendredi. Tout le monde, sans exception, trouve la situation aberrante ou, pour reprendre l'adjectif le plus souvent employé, scandaleuse. Pour ne pas dire écœurante. »

Il affirmait en outre que, si Lafleur avait mis son fils à la porte de chez lui plutôt que de passer sa vie à tenter de lui trouver des écoles, à lui faire voir des spécialistes de tout acabit, bref à s'en occuper tout en lui laissant un peu de corde, il n'aurait aucun problème aujourd'hui. Mark se serait retrouvé sans le sou, à la rue ou en prison. Mais on n'accuse pas les parents qui laissent leurs enfants à problèmes se démener seuls dans la vie.

Une absurdité qui fait qu'aujourd'hui, Guy Lafleur doit payer cher pour avoir commis la gaffe, et non le crime, de vouloir donner un peu de répit à sa famille en envoyant son fils coucher à l'hôtel avec sa copine.

« Mettons que c'était un manque de jugement ou de prudence. Mettons. Mais, a-t-on une petite idée de ce qu'était la vie pour la famille Lafleur ? L'épuisement de Lise Lafleur, sa dépression devant la montagne de problèmes insolubles qu'il fallait essayer de régler. Que Lafleur ait voulu offrir deux soirées de répit sur le lot à la mère, qui donc va le condamner ? Qui donc ne le comprendra pas ?

Ce qui est encore plus révoltant, c'est que Lafleur paye, en apparence, pour avoir fait des témoignages contradictoires en cour.

Mais, dans les faits, il paye pour avoir eu le courage d'essayer d'aider son fils et peut-être de contribuer à le sauver. Il l'aurait flanqué à la porte à coups de pied dans le cul en disant à la société de s'en occuper que Guy Lafleur aujourd'hui n'aurait pas de casier judiciaire et ne verrait pas sa réputation salie et ternie à la grandeur d'Amérique.

Le pire, c'est que la même semaine, un dopé qui a agressé sexuellement une jeune femme de 30 ans, qui a battu deux autres personnes et qui s'est acharné sur une femme âgée à coups de pied et en la piétinant au point de la défigurer, a eu droit à toute la compréhension de la Couronne. Même que la procureure s'est assurée de suivre sa thérapie. La femme est encore défigurée et reste traumatisée, la jeune femme va porter les stigmates d'une agression sexuelle et notre homme s'en tire avec une sentence à servir dans la communauté », déplorait-il.

Le lendemain, il en rajoutait encore un peu.

« Guy Lafleur qui travaillait pour une compagnie conduisant des hélicoptères au Texas devra laisser tomber son emploi. Je lui ai parlé hier ainsi qu'à sa femme Lise. Ils sont dévastés. Totalement et complètement dévastés. Mais la justice a triomphé », écrivait cyniquement Tremblay.

Même des chroniqueurs qui n'ont rien à voir avec le sport y ajoutaient leur grain de sel tant ils étaient choqués par le traitement réservé à Lafleur. Ainsi, toujours dans *La Presse*, Lysiane Gagnon surprenait tout le monde avec ce papier intitulé *À la défense de Guy Lafleur*.

« Cette complicité paternelle, pour assurer à ce garçon un peu d'intimité, pour lui permettre peut-être de consolider une relation susceptible de s'avérer bienfaisante et de le sortir de la délinquance, me semble parfaitement normale, en tout cas bien compréhensible », disait-elle.

Parlant du « zèle indu de la police » qui a dépensé temps et argent pour monter un dossier contre Guy Lafleur plutôt que de s'occuper de vrais truands, elle a opiné que les explications fournies par le Démon blond au tribunal pour expliquer les nuits à l'hôtel de son fils étaient fort sensées.

« *L'important, c'était que [mon fils] respecte son nouveau couvre-feu et qu'il ne consomme pas*, écrivait-elle en citant un passage du témoignage de Guy Lafleur. Cet hôtel était en quelque sorte le prolongement de la maison, ces deux échappées étant encadrées par la famille. À qui ont-elles nui ? Y a-t-il eu agression ? Dommage à la propriété ? Passage de drogue ? Non. Où est le crime ?

Il y a des gens qui disent que le juge n'avait pas le choix. Foutaise. On peut choisir entre l'esprit de la loi et la lettre de la loi. Le mensonge par omission de Lafleur était une vétille à côté des horribles fables qu'on entend dans les tribunaux.

Il y a des gens qui disent que Lafleur ne devait pas avoir un traitement de faveur. Certes, mais là n'est pas le problème, puisque c'est le contraire qui s'est produit ! La police aurait-elle mis tant de zèle à le traquer s'il s'était agi d'une famille obscure ? Le juge se serait-il senti obligé de prendre la loi au pied de la lettre, si le « coupable » avait été un pauvre inconnu, dans un procès non médiatisé ? » s'indignait la chroniqueuse.

Sur son blogue, Pierre Cayouette se fit un peu critique de ce vent de sympathie de la part des divers chroniqueurs de la métropole. Il fit la prévision que cette condamnation de Guy Lafleur ne lui causerait très peu de dommages au Québec, car il y est d'ores et déjà élevé au rang d'icône et de martyre de la justice.

« M'est avis que c'est ailleurs qu'au Québec que cette nouvelle fera le plus mal à Guy Lafleur et ternira son image. Au Canada anglais et aux États-Unis, par exemple, là où l'ex-vedette de hockey jouit aussi d'une grande notoriété, les manchettes qui défilent ce soir sur les fils de presse auront un effet dévastateur.

Canadian hockey legend faces jail, titrent des sites de grands médias américains. Se retrouver ainsi dans tous les médias nord-américains constitue la pire des sentences pour un héros sportif comme Guy Lafleur », affirmait Cayouette dans les heures suivant le verdict de culpabilité.

Entre le verdict et la sentence, on apprit même qu'un comité d'enquête avait été mis sur pied pour décider si on devait ou non, à la lumière de la condamnation de Guy Lafleur, lui retirer son titre de chevalier de l'Ordre national du Québec. Mais le premier ministre Jean Charest trancha rapidement le débat, statuant que les récents déboires du Démon blond ne résumaient pas l'ensemble de son œuvre.

Les Québécois sont généralement plutôt cyniques lorsque les riches et célèbres de notre monde se retrouvent devant les tribunaux. On croit, à tort ou à raison, qu'ils réussiront à s'en tirer mieux que les autres grâce à leur fortune.

Même si Guy Lafleur s'est payé les meilleurs avocats, Me Rancourt, Me Belleau, Me Jeansonne, pour sa poursuite au civil, Me Mannochio, pour son fils, et maintenant, Me Ouimet, pour sa cause devant la Cour d'appel, un privilège que peu d'accusés pourraient se permettre, c'est tout le contraire qui se produisit dans son cas. Il est étonnant de constater à quel point et avec quelle vigueur les Québécois et les chroniqueurs de tous les horizons ont défendu Guy Lafleur. On le voyait comme le bon père de famille qui a simplement aidé son fils, comme tout le monde l'aurait fait. On accusait le système de justice d'avoir fait preuve de rigidité, de manque d'humanité, de discernement et surtout d'avoir voulu coincer Guy Lafleur pour en faire un exemple.

Certains accusaient le procureur de la Couronne d'avoir voulu se faire un nom sur le dos de Lafleur.

« Des mères, malheureusement, mentent et se contredisent en plein tribunal pour essayer de sauver une fille prostituée ou un fils revendeur de crack. Comme elles sont pauvres, les procureurs et les juges notent leurs contradictions et leurs mensonges, tentent d'obtenir un peu de vérité et laissent passer l'infraction parce que, de toute façon, les prisons sont pleines et que ces pauvres femmes sont trop pauvres pour payer une amende. Mais Lafleur, lui... Deux poids, deux mesures. Ce n'est pas vrai que la justice est la même pour tous. J'espère que des politiciens vont réfléchir à certaines conséquences absurdes de leurs lois. Ils seront les premiers à demander un autographe à Guy Lafleur et à l'inviter à patronner leurs œuvres de charité et leurs soupers partisans. Ce qui est bien correct, d'ailleurs : il mérite tous ces honneurs », écrivait Réjean Tremblay au lendemain de la condamnation

Il faut dire que peu d'autres Québécois peuvent revendiquer un statut si privilégié dans le cœur de leurs concitoyens que Guy Lafleur. Les sensations fortes qu'il a fait vivre au peuple et sa franchise légendaire font qu'il est plus facile de lui pardonner ses petites erreurs.

Malgré cela, quelques rares chroniqueurs s'aventurèrent sur le terrain glissant qu'était celui de prétendre que Guy Lafleur avait été traité, justement, comme n'importe quel citoyen, et que cela était tout à l'honneur du système de justice.

Comme Henri Aubin, du quotidien anglophone *The Gazette*.

Dans sa chronique du 9 mai, il déplorait le vent de sympathie populaire à l'endroit de Lafleur. Pour lui, le peuple était mal éclairé par les commentaires complaisants des Lysiane Gagnon et Réjean Tremblay.

« Un bon père de famille ne s'inquiète pas seulement pour son fils. Il s'inquiète aussi pour les autres enfants. Des bons parents se mettent à la place des autres parents, ils s'assurent que leur enfant n'agit pas à l'encontre des intérêts des autres enfants. Si votre fils à des symptômes de la grippe, vous ne l'envoyez pas jouer avec les autres enfants. Le fils de Lafleur, Mark Lafleur, avait 22 ans à l'époque [où il a découché pour passer deux nuits à l'hôtel avec sa nouvelle copine]. La fille avec laquelle le soi-disant père dévoué a permis à son fils de passer du temps avait 16 ans. Elle était une enfant, il était un adulte. Si une de mes filles à 16 ans fréquentait un copain à ce point plus âgé qu'elle, je n'aimerais pas ça. Surtout si le jeune homme avait le passé de Mark Lafleur en amour », écrivait le chroniqueur très respecté par les lecteurs anglophones.

Aubin écrivait qu'il a beaucoup de sympathie pour Mark Lafleur, atteint depuis sa naissance du syndrome de Gilles de la Tourette, mais le problème, selon lui, c'est son père.

« Beaucoup de gens ne prennent pas les conditions de remise en liberté au sérieux. Ils les brisent. Les accusés assument que personne ne s'en rendra jamais compte, et trop souvent ils ont raison. [...] Le parjure est un autre problème. Les tribunaux, débordés, ne prennent pas la peine de s'en charger. Les gestes posés par Guy Lafleur démontrent aussi peu de respect pour les conditions de remise en liberté de son fils et le témoignage sous serment que pour le bien-être de la jeune fille de 16 ans. Si la Cour avait acquitté cette célébrité, elle aurait renforcé la perception du public selon laquelle on peut se moquer de la loi en toute impunité », opinait Aubin, précisant qu'il ne souhaitait pas à Lafleur d'aller en prison pour ce crime.

Dans *La Presse*, Yves Boisvert, chroniqueur spécialisé dans les affaires judiciaires, émettait un avis similaire et s'inscrivait en faux contre les avis de ses confrères Tremblay et Gagnon qui se lançaient à tous les vents à la défense de Lafleur en mentionnant entre autres que, quand le père a conduit le fils à l'hôtel, c'était pour favoriser sa réinsertion sociale, pour « assurer à ce garçon un peu d'intimité » et « pour lui permettre peut-être de consolider une relation susceptible de s'avérer bienfaisante ».

« La réalité est juste un peu moins *cute*, écrivait Boisvert. Bien entendu que ce n'est pas le crime du siècle. Tout aussi clairement, des menteurs s'en tirent tous les jours, sur lesquels on n'enquête pas du tout – devant les cours criminelles et les tribunaux civils, des bandits, des policiers, des maris, des épouses, des gens d'affaires, des experts...

Quelles qu'aient été les intentions du père, il a clairement induit la Cour en erreur dans son témoignage. Je trouve assez spectaculaire de lire dans *La Presse* que l'idée selon laquelle la preuve était claire et que le juge n'avait guère le choix est de la « *foutaise* », critique-t-il

Selon lui, les accusations qui pesaient contre Mark Lafleur étaient très graves, et le jeune homme a été chanceux d'obtenir sa libération pour subir des thérapies plutôt que de rester en prison. C'est ce qui lui serait probablement arrivé s'il n'avait pas offert, lors de sa première libération, des garanties aussi solides. Comme la caution versée par son père et l'engagement de celui-ci à superviser son fils.

Pour ces raisons, la tolérance aux manquements à ses conditions était nulle aux yeux de la justice quand Mark a été arrêté pour une seconde fois à la maison l'Exode.

« Quand un père met ensuite sa crédibilité dans la balance pour lui obtenir une autre deuxième chance, on s'attend à ce qu'il soit sincère.

Évidemment qu'on sympathise avec Guy Lafleur. Peut-être aurais-je fait la même chose que lui.

Mais j'ose espérer que si je l'avais fait, et si je n'avais pas eu la lucidité de voir que c'était une connerie (et l'hôtel, et le témoignage), un ami me l'aurait gentiment signalé.

Au lieu de ça, avocats, journalistes, public, un peu tout le monde s'est transformé en chœur de pleureuses et a renforcé Guy Lafleur dans son sentiment d'injustice », déplorait le chroniqueur.

« S'il avait moins d'admirateurs béats et plus d'amis, peut-être les choses auraient-elles pu tourner autrement, qui sait, reprenait-il.

Je répète que je trouve qu'on a été dur avec Guy Lafleur dans un système de justice où on laisse passer des déclarations sous serment grossièrement mensongères sans sourciller.

Mais savez-vous quoi ? Les filles impliquées dans ces événements ont aussi des parents qui souffrent et qui ont eu très peur de Mark Lafleur. »

Cette chronique, dont le titre était *Les parents anonymes*, se voulait aussi une réflexion sur la place que tous ceux qui ont élevé Lafleur au rang de victime d'un système injuste ont accordée aux vraies victimes de toute cette affaire. C'est-à-dire Cassandra et ses parents.

« Il y a des pères et des mères anonymes qui ont cherché leur fille mineure et qui n'en dormaient pas des nuits entières, ces dernières années, pendant qu'elles étaient avec un jeune homme dont ils avaient de bonnes raisons de s'inquiéter.

J'ai une pensée pour eux, qui n'ont pas trouvé que c'était un péché mignon que ce mensonge judiciaire », concluait Boisvert.

Dans cette même veine, une enseignante en droit avec qui j'ai discuté, mais qui préfère ne pas être identifiée, s'est montrée très critique sur le sort qu'on a réservé à la victime de Mark Lafleur dans tout ce débat où la prétendue injustice commise à l'égard du père a accaparé toute la réserve de sympathie du public.

Selon elle, Guy Lafleur – dans ses témoignages judiciaires où il disait s'être fait mettre en garde contre Cassandra par son travailleur social, car elle mentait souvent, tout comme dans cette fameuse entrevue à TVA dans laquelle il mentionnait que les deux jeunes consommaient de la drogue et étaient tous deux violents l'un envers l'autre et que conséquemment « les deux étaient coupables de ce qui est arrivé » – a démontré une insouciance quant au sort de la victime.

« Je trouve en tout état de cause qu'il a fait bien peu de cas de la petite amie mineure de son fils bien-aimé », critique-t-elle durement.

Pour elle, l'explication de Lise et Guy Lafleur selon laquelle ils étaient impuissants à empêcher leur fils de voir Cassandra, même quand une ordonnance du tribunal interdisait tout contact entre les deux, puisqu'elle finissait toujours par revenir dans les bras de Mark, est farfelue.

« Je ne suis pas édifiée par l'explication fournie et qui vise à déresponsabiliser leur fils pour faire porter le blâme sur l'adolescente. Raison de plus pour ne pas lui payer de chambre d'hôtel, garder leur fils à la maison et barrer leurs portes pour éviter que la petite ne vienne le retrouver. Ils ont à mon avis failli à leurs responsabilités parentales tout autant que sociales. Ce n'est pas un bon principe éducatif que de dire à un enfant, quel que soit son âge, qu'il a pris un engagement mais que ce n'est pas grave, qu'il peut ne pas le respecter », déplore-t-elle.

Aujourd'hui, Cassandra tente de reprendre une vie normale. Elle travaille et gagne sa vie. Elle a toujours du mal à fréquenter des jeunes hommes, mais semble vouloir y arriver. Sa vie est faite de hauts et de bas, de moments de joie, de moments sombres et de *flashbacks* déprimants. Heureusement, elle a pour elle ce qu'elle n'avait pas du temps de son concubinage avec Mark Lafleur : des amis pour la supporter.

Mais toutes ces années de débauche avec le jeune homme, pendant lesquelles ils consommaient drogue et alcool en quasi-permanence, sans travailler ni étudier, dans un contexte de violence, ont laissé leurs traces et n'ont pas contribué à en faire une enfant de chœur. Elle en ressort passablement amochée.

Il n'y a qu'à voir de quoi elle est accusée aujourd'hui, devant la Cour du Québec. Cette fameuse agression au poivre de Cayenne contre le pauvre chauffeur de taxi. Qui plus est, Cassandra a fait faux bond à la justice le 9 avril 2009. Alors qu'elle devait revenir devant le tribunal pour la suite des procédures contre elle, elle ne s'est jamais présentée au palais de justice de Montréal devant le juge Claude Leblond, qui n'a eu d'autre choix que d'émettre un mandat d'arrestation contre elle pour la forcer à se présenter à la Cour.

Il est vrai que Cassandra était déjà une jeune fille aux prises avec divers problèmes avant même de trouver Mark Lafleur sur sa route quand elle avait 14 ans.

« Il est impossible, sans autre preuve, de conclure que tous les écueils ou échecs décrits dans cette déclaration (la fameuse lettre lue en cour par la mère de Cassandra et qui vilipendait Lise et Guy Lafleur) ou vécus par la victime sont attribuables aux seuls gestes criminels de l'accusé, car Cassandra était déjà aux prises avec des problèmes familiaux, présentait des difficultés scolaires et consommait déjà des stupéfiants avant de connaître Mark Lafleur, nuançait le juge Serge Boisvert dans sa décision sur la sentence à imposer au fils de Guy Lafleur. Cette fragilité antérieure de la victime n'excuse par ailleurs en rien les crimes de l'accusé et il est certain que le contrôle et la violence de ce dernier ont joué un rôle déterminant tant sur l'évolution de Cassandra que de sa famille. »

19
Le plan de match

Le chroniqueur Yves Boisvert allait soulever un autre point intéressant dans l'un de ses textes publiés dans les jours suivant le verdict de culpabilité de Guy Lafleur.

« C'est un peu un désastre humain, cette affaire. Et on ne pourra pas revenir en arrière.

Mais au hockey comme dans la justice, ça va toujours mieux avec un bon plan de match.

Et je n'ai pas trop compris le plan de match de l'avocat de Guy Lafleur, Jean-Pierre Rancourt », disait-il d'entrée de jeu dans cette chronique intitulée *Guy, oh ! Guy Lafleur !*

« La preuve est implacable et on décide d'accuser Guy Lafleur de témoignages contradictoires. On en met : on fait lancer un mandat d'arrêt, ce qui est totalement injustifié. Guy Lafleur a dû se livrer à la police comme un dangereux criminel recherché.

À partir de ce moment-là, l'avocat de Guy Lafleur part en guerre totale contre la poursuite. Me Rancourt multiplie les entrevues incendiaires dans les médias, il est de toutes les tribunes, c'est un scandale, etc.

Mieux : il intente une poursuite de 3,5 millions contre le ministère public pour arrestation abusive. (NDLR : C'est plutôt Me Jacques Jeansonne qui a intenté cette poursuite, Boisvert le précisait d'ailleurs dans une chronique subséquente.) Je l'ai dit : la Couronne a chargé inutilement. Mais Guy Lafleur n'a tout de même pas passé la nuit en prison. Les gens injustement condamnés pour meurtre n'obtiennent pas tous cette somme...

Ce n'est pas tout. Guy Lafleur a tenté d'obtenir l'arrêt du processus judiciaire pour cause de violation de ses droits fondamentaux – à cause du mandat d'arrêt, qui était contraire aux directives du ministère public.

Ça n'a pas fonctionné. Il en faut pas mal plus pour obtenir ce genre de décision. On peut se demander ce que vaut la poursuite civile maintenant qu'un juge a estimé que la violation de ses droits était minime.

Mais le problème est ailleurs : comment pensez-vous négocier avec la Couronne quand vous lui avez signifié une poursuite civile de 3,5 millions qui l'accuse de tous les péchés ?

C'est comme remonter dans une série en tirant de l'arrière 0-3. Ça se peut. Mais disons que c'est malaisé », imageait Boisvert.

Yves Boisvert n'est pas le seul à se demander si la stratégie de l'affrontement qu'a préconisée Me Rancourt, un avocat expérimenté et rusé, a bien servi les intérêts de Lafleur.

« Au moment de l'émission du mandat d'arrestation, ça aurait presque pris un médiateur pour calmer les esprits entre Couronne et défense », fait remarquer le criminaliste Me Jean-Claude Hébert.

« Quand on est procureur de la défense, on regarde les diverses options qu'on a devant soi pour aller chercher la meilleure conclusion possible pour le client, sans déclencher une guerre nucléaire au passage. Quand tu sors l'artillerie lourde tout de suite en partant, on risque de causer un braquage chez l'autre partie », poursuit Me Hébert.

Cette artillerie lourde dont il parle, ce sont ces nombreuses sorties médiatiques incendiaires de Me Rancourt pour dénoncer l'injustice subie par son client et la mesquinerie de la police et de la Couronne. Et surtout la poursuite civile de 3,5 millions de dollars déposée très rapidement après la mise en arrestation de Guy Lafleur. Même si la poursuite n'a pas été signée par Me Rancourt, elle n'a pas été intentée à son insu, lui qui bien avant d'être l'avocat de Lafleur, est surtout son bon ami.

« Quand il y a d'entrée de jeu une poursuite civile, de l'autre bord, du côté de la Couronne, on se dit qu'on va fonctionner *by the book*.

Si on fait des concessions, on va en quelque sorte avouer qu'on a mal agi. Si la défense avait agi dans un contexte détendu, elle aurait pu discuter avec la Couronne de la possibilité de modifier l'accusation pour une moins grave qui aurait pu se régler par une absolution inconditionnelle, et qui n'aurait pas causé de casier judiciaire à M. Lafleur. Et pour le public, ça n'aurait pas fait de différence, il aurait compris, on n'aurait pas reproché à la Couronne d'être trop clémente. Mais là, la négociation était rendue impossible », analyse l'éminent plaideur.

Car la négociation entre Couronne et défense, même si elle est parfois décriée, est une réalité incontournable du processus judiciaire. Les victimes d'actes criminels trouvent parfois que ces ententes qui interviennent entre avocats permettent aux criminels de trop bien se tirer d'affaire. Par ailleurs, elles ont parfois l'avantage de faire l'économie de nombreuses et coûteuses journées d'audience, d'éviter de pénibles témoignages de victimes devant confronter leur agresseur.

Souvent ces ententes impliquent qu'un accusé plaide coupable, en échange d'une accusation réduite.

Dans le cas de Guy Lafleur par exemple, cela aurait pu mener à un plaidoyer en échange d'une accusation d'entrave à la justice. Passible de deux ans de prison au maximum, contre 14 pour le témoignage contradictoire, elle ouvre la porte à l'octroi de la fameuse absolution qui aurait évité un casier judiciaire au Démon blond.

Après tout, rappelle Me Hébert, Lafleur avait devant lui trois ans, de la date où il a pris connaissance de l'existence du mandat d'arrestation contre lui, pour déposer sa fameuse poursuite. Rien ne pressait.

Il refuse toutefois de lancer la pierre à Me Rancourt, car c'est le client qui décide d'avaliser ou non la stratégie.

« C'est la dure réalité, en bout de ligne, c'est Guy Lafleur qui a autorisé le dépôt le la poursuite civile, son avocat ne lui a pas imposé. C'est un grand garçon, il a lu la poursuite, et il a donné le feu vert. Il a pris une décision stratégique », dit Me Hébert.

Le principal intéressé, Me Jean-Pierre Rancourt, croit avoir utilisé la bonne stratégie en fonction du mandat que son illustre client lui avait donné. Il refuse cependant d'en dire plus, car il briserait le secret professionnel le liant à Guy Lafleur.

Mais on comprend de ses commentaires à mots couverts qu'il y a effectivement eu des négociations entre lui et la Couronne. Négociations dont le contenu est secret mais qui, de toute évidence, n'ont pas abouti à une conclusion favorable à la légende du hockey.

Il faut dire qu'il semble que Guy Lafleur n'ait lui-même jamais envisagé un plaidoyer de culpabilité. Même à une accusation réduite qui aurait pu valoir une absolution et lui éviter le casier judiciaire.

La seule chose qu'il voulait, c'était l'acquittement. Laver son nom, comme il le disait le jour même où il a pris connaissance du mandat émis contre lui.

Il a décidé de jouer le tout pour le tout. Et il a perdu.

C'est peut-être ce pour quoi lui et ses avocats ont dès le début de l'affaire adopté un comportement si belliqueux à l'endroit de la police et de la Couronne.

Me Hébert croit néanmoins que Guy Lafleur a des arguments très solides à faire valoir devant la Cour d'appel, qui devra décider si elle avalise ou non le raisonnement qui a mené le juge Claude Parent à déclarer Guy Lafleur coupable.

Selon lui, les accusations d'avoir livré des témoignages contradictoires sont rares et la difficulté pour la Couronne d'obtenir une déclaration de culpabilité contre ceux qui en sont accusés réside dans le fait de prouver que les témoignages contradictoires ont été livrés délibérément dans le but de tromper la justice.

« En appel, Me Gilles Ouimet, qui représente Guy Lafleur, a selon moi un bon point à faire valoir. Dans son jugement, le juge Parent reproche à Guy Lafleur d'avoir commis une faute par omission. Le texte de la loi ne parle pas de faute par omission. Il dit que les témoignages contradictoires doivent être commis dans l'intention de tromper la justice pour mener à la culpabilité de l'accusé. Ce sera un débat intéressant en appel », conclut-il.

Il croit possible que Guy Lafleur ait vraiment oublié, sans malice, de parler des nuits à l'hôtel de son fils dans son premier témoignage.

« Il se pourrait que par inadvertance, M. Lafleur ait sous-estimé un fait, c'est-à-dire que son fils a découché, et qu'il ait omis de le dire à son avocat, qui se serait alors retrouvé pris de court devant le fait accompli lors du deuxième témoignage. Moi, ça fait 35 ans que je pratique, et croyez-moi, ça arrive », assure Me Hébert.

20
Mode d'emploi

Depuis la fin de son procès, Guy Lafleur s'est fait discret, sauf pour commenter à quelques reprises les activités du Canadien de Montréal lorsqu'il a une tribune pour le faire. Même s'il est ambassadeur de l'équipe, il peut toujours se montrer aussi cinglant quand un joueur manque de cœur au ventre ou quand la direction prend une décision qu'il juge farfelue. Parlez-en à son ancien coéquipier Bob Gainey, aujourd'hui directeur gérant du Canadien. Guy Lafleur, perplexe devant l'équipe qu'il a mise sur pied pour la saison 2009-2010, disait que cette saison serait celle où « ça passe ou ça casse » pour lui après plusieurs années d'insuccès. Il se prononçait aussi en faveur du retour d'une équipe de la Ligne nationale à Québec, mais sous un autre nom que celui des défunts Nordiques. Au collègue Bertrand Raymond, il disait même qu'il serait prêt à s'impliquer dans cette nouvelle équipe si on lui proposait un poste qu'il jugerait intéressant.

Mais sur son épopée devant la justice, il a fait peu de commentaires. Et les quelques-uns qu'il a prononcés démontrent bien qu'il ne décolère toujours pas du traitement que lui ont servi la police et la justice.

« Un père de famille qui veut aider son enfant, et qui se retrouve accusé au criminel, avec un dossier criminel, la justice est où ? », interrogeait-il dans le documentaire vidéo retraçant les plus grands moments de sa vie, *Il était une fois Guy Lafleur.*

« Lise me dit des fois : *moi j'ai un fils et un mari avec un casier. Il faut le faire.* Mais c'est tellement ridicule », s'indigne le Démon blond dans ce même documentaire.

« Je lis dans les journaux que certains disent que c'est une triste histoire de père de famille. J'aime mieux que ce soit une triste histoire que d'avoir abandonné mon fils », disait-il lors d'une conférence organisée en juin 2009 au Club Lions de Sainte-Thérèse, propos qui étaient rapportés dans l'hebdomadaire local *Nord Info*.

Guy Lafleur persiste et signe. Tout ce qu'il a fait, c'était pour aider son fils, le protéger du milieu carcéral.

« Je quitte le palais de justice la tête haute et je suis très fier de moi en tant que père de famille, d'avoir tout donné pour aider mon fils et je continuerai à le faire même s'il y a un prix à payer », écrivait Lafleur dans une lettre intitulée *Mes sentiments*, qu'il aurait aimé pouvoir lire devant le tribunal.

Cependant, dans un ouvrage portant sur la maladie mentale publié peu de temps avant son procès, et qui consacre quelques pages à l'histoire de son fils, Guy Lafleur y va aussi d'autres réflexions sur son *job* de père, sur le fait qu'il a pourtant élevé ses deux fils de la même façon. Martin ne lui a jamais vraiment causé d'inquiétude, alors que Mark leur a fait vivre l'enfer, à lui et à sa femme.

Il y va de quelques coups de gueule contre le système d'éducation québécois qui, selon lui, préfère mettre à la porte des élèves présentant des problèmes comme ceux de Mark plutôt que de s'équiper pour bien les aider.

Mais ce qui ressort parmi d'autres sentiments, c'est de la culpabilité. Tous les parents d'enfants souffrant de troubles de la même nature se sentent coupables, à raison parfois, mais généralement à tort.

« J'aurais dû être plus sévère, couper les rations côté voiture, argent. Je l'admets aujourd'hui », confiait-il aux reporters qui ont écrit *Au pays des rêves brisés*.

Son avocat et ami, Me Jean-Pierre Rancourt, n'est pas du tout d'accord avec cette affirmation.

« S'il ne lui avait pas donné tout cet argent, c'est peut-être une cause de meurtre qu'on aurait eu à la place des voies de fait et des menaces. Parce qu'un jeune homme accroc au crack, qui n'a plus de drogue et qui n'a pas d'argent, c'est prêt à faire bien des choses pour en trouver. Quand il souffre en plus du syndrome de Tourette et qu'il peut-être agressif, Dieu sait ce qu'il aurait pu faire pour s'en procurer », opine Me Rancourt.

« Lise et Guy Lafleur ont tout fait ce qui était humainement possible de faire pour aider leur fils à éviter tous les problèmes qu'il a eus », renchérit-il.

« Le problème, c'est que les systèmes médicaux et scolaires au Québec ne sont pas encore équipés pour aider et supporter des jeunes comme Mark », déplore l'avocat.

Psychiatre à l'unité des adolescents de l'Institut Philippe-Pinel, le Dr Martin Gignac y va d'un avis plus nuancé, mais similaire à celui de Lafleur et de Me Rancourt au sujet du système d'éducation.

« Des histoires catastrophiques d'enfants souffrant de Tourette et de trouble du déficit de l'attention avec hyperactivité (TDAH) expulsés à répétition de leurs écoles, j'en vois des tonnes. Tout dépendant dans quel secteur du Québec on vit, il y a quelques écoles spécialisées. C'est certain que peu importe les expulsions, il faut continuer de chercher un endroit où nos enfants peuvent être scolarisés. Car la scolarisation les protège contre une bonne partie des problèmes qu'ils peuvent vivre. »

Mais le problème, selon lui, c'est le manque d'accessibilité à ces écoles et la rigidité des programmes dans les écoles régulières.

« On essaie de placer ces enfants-là dans un moule préétabli. On n'adapte pas les structures à leurs difficultés. C'est pour ça entre autres qu'on entend dire que les petits gars ont de la difficulté à l'école. [...] Il faut adapter les structures pour ces jeunes-là, leur offrir des parcours différents. Il faut plus d'écoles à vocation particulière pour eux. Ce qui existe en petit nombre ici à Montréal. Malheureusement, c'est l'exception qui va pouvoir en profiter. Mais les enfants souffrant de TDAH, c'est 3 à 8 % de la population. Ce n'est pas une rareté. Dans une classe de 20, il y en a un, deux ou trois qui vont souffrir de ça. »

Après maintes tentatives infructueuses, c'est en Ontario que Guy Lafleur a réussi à dénicher la seule école dans laquelle son fils a réussi à évoluer, difficilement certes, mais sans se terminer par un constat d'échec total. Lafleur en avait les moyens, ce qui n'est pas le cas de tous les parents.

Précisant bien qu'il ne veut en aucun cas commenter, critiquer ou avaliser l'histoire de Mark Lafleur et les gestes posés par ses parents, car ils ne l'ont jamais consulté, le Dr Gignac dresse un portrait éclairant de la vie des enfants atteints de TDAH et du syndrome de Gilles de la Tourette et de leur famille. Ainsi que des écueils qui les attendent et quelques recommandations pour les éviter.

Force est de constater que ce portrait ressemble énormément à l'histoire des Lafleur.

D'abord, près de la moitié des enfants atteints du syndrome de Tourette souffrent aussi de TDAH, précise-t-il. C'est généralement l'hyperactivité qui sera en premier diagnostiquée, souvent lors de l'entrée à l'école, comme dans le cas de Mark Lafleur.

« C'est un syndrome dont l'origine est génétique. Ses gènes sont transmis par le père ou la mère, mais on n'arrive pas toujours à trouver de qui vient le gène. Mais on peut trouver des traits de tempérament chez le jeune qui vont ressembler à ceux d'un des deux parents », explique le psychiatre.

Au cours de sa pratique, il a observé que les parents de ces enfants, même en sachant que tout est affaire de génétique et qu'ils n'ont rien à y voir, vivent un sentiment de culpabilité face à la condition de leur enfant.

« Les parents ont tendance à s'attribuer les difficultés comportementales de leur enfant comme étant leur manquement et leur incapacité. Ce n'est pas facile à défaire. On arrive à les rassurer, on leur dit que c'est vrai qu'il est important d'encadrer leur enfant, mais qu'il y a seulement certaines choses qui sont possibles à faire dans une famille. Comme faire respecter les règlements, qu'il y ait du renforcement ou des conséquences si l'enfant ne suit pas les règlements. Mais il y a des limites. Il y a quand même des aspects de la vie d'un adolescent ou d'un jeune adulte que les parents n'arrivent plus à contrôler. »

Souvent, dans environ 20 % des cas, selon le Dr Gignac, ces jeunes atteints du TDAH vont développer en plus des troubles de conduite qui vont les amener à briser diverses règles. Certains voleront, d'autres fugueront, consommeront de la drogue ou seront violents. Parfois, tout cela à la fois.

« À l'adolescence, ils commencent souvent à se tenir avec d'autres jeunes qui ont les mêmes problèmes qu'eux et se mettent à développer des conduites antisociales, plus ou moins associées avec la consommation de substances illicites. Cela fait que le trouble de conduite devient une espèce de nécessité. Les jeunes ont besoin de voler pour avoir des sous et consommer des drogues. Ils sont donc plus agressifs et plus impulsifs. C'est un cercle vicieux dont il n'est pas facile de sortir », décrit le Dr Gignac.

En plus du TDAH, les jeunes atteints du syndrome de Gilles de la Tourette développent aussi fréquemment des troubles obsessionnels compulsifs.

« Ils vont avoir un certain syndrome anxieux, un besoin constant de vérifier et une rigidité cognitive. »

On peut facilement faire ici un parallèle avec Mark Lafleur, qui voulait s'assurer de contrôler les moindres faits et gestes de Cassandra, alors qu'il avait en même temps une peur maladive de la voir partir.

« À partir du moment où une personne consomme des substances qui désinhibent et donnent le sentiment de toute-puissance – parce que le crack et la cocaïne, c'est ce que ça fait – en période de sevrage ces personnes sont très irritables. Elles vivent des hauts et des bas très intenses. C'est pour eux une frustration de ne pas être capable de faire tout ce qu'ils peuvent faire sous l'effet de la drogue. Quand on ajoute des conditions neurologiques comme Tourette et le TDAH, on a une mixture qui prédispose à la violence. »

Le psychiatre ajoute toutefois un bémol. On ne peut pas systématiquement attribuer les comportements violents au syndrome de Tourette ou au TDAH.

« À un moment donné dans notre vie, on développe des traits de personnalité. Le TDAH ou Tourette, ça prédispose à être vulnérable, à se sentir menacé, indique-t-il.

Mais les parents doivent responsabiliser leurs enfants le plus possible. Ces enfants et ces jeunes adultes, il faut les amener à prendre conscience que leurs gestes ont un impact sur les autres. Ils doivent développer leur empathie, apprendre à contrôler leurs symptômes. »

Car leurs gestes peuvent avoir des répercussions non seulement sur les autres, mais aussi sur eux-mêmes.

« Ils doivent savoir qu'ils peuvent se retrouver en centre jeunesse, même incarcérés s'ils ont plus de 18 ans. Il faut qu'ils sachent que ça peut aller jusque-là », dit le Dr Gignac.

Selon le cas, il peut être bénéfique de donner du lest à son enfant pour l'aider. Mais encore là, c'est loin d'être une certitude de réussite, car tous ces jeunes ont leur façon bien à eux de se comporter.

« Il faut savoir faire une appréciation de leur autonomie. C'est certain qu'un jeune impulsif, irritable, avec une maladie bien diagnostiquée, qui consomme et dont on a des raisons de croire qu'il peut être violent avec son conjoint ou sa conjointe, on n'a pas envie de lui donner beaucoup de liberté. On a plutôt envie de l'encadrer. Peut-être en le convainquant de subir des traitements, pour diminuer son impulsivité, pour l'aider à mieux fonctionner, explique-t-il. On peut lui suggérer de l'aider financièrement, moyennant son implication dans le milieu familial, ou qu'il se trouve un emploi. Et s'il déraille, on peut diminuer l'aide. Peut-être pas le couper de, mais contrôler la quantité investie. Quand il agit bien, on donne plus que quand il agit mal. Mais réussir ça quand le jeune habite à l'extérieur de la maison, ça n'est pas simple », convient-il.

Évidemment, la médecine peut aider à atténuer l'impulsivité et l'agressivité de ceux qui souffrent de ces troubles, mais pour que ça fonctionne, les jeunes doivent d'abord se prendre en main et cesser de consommer.

« Il y a une sérieuse interaction entre la consommation de drogue et les traitements pharmacologiques qu'on leur offre pour diminuer leur impulsivité et aider leur fonctionnement. On ne peut donc pas simplement mettre un jeune sous traitement pendant qu'il consomme. Soyez sobre, et après on commencera un traitement pharmacologique », recommande-t-il.

Mais le grand malheur avec ces divers troubles, c'est que leurs manifestations sont différentes chez chaque jeune, et que si les conseils que donne le Dr Gignac sont judicieux, ils ne peuvent s'appliquer à tous les cas.

Certains demeureront malgré tout agressifs et menaçants, s'ils ne prennent pas leurs médicaments ou s'ils rechutent après une thérapie. Il ne reste pas des tonnes de solutions selon le spécialiste. En effet, plus un jeune vieillit, moins ses parents ont d'emprise sur lui.

Il faut un jour penser à utiliser la méthode forte.

« J'aurais tendance à encourager les parents qui sont rendus là à judiciariser le cas de leur enfant. À l'adolescence, les conséquences ne sont pas les mêmes qu'à l'âge adulte. Si mon jeune de 16 ans fait des menaces à la maison, me bouscule, bref tout ce qui relève du Code criminel, on appelle la police. Ça peut résulter en un placement en centre jeunesse qui pourrait lui faire le plus grand bien. Je comprends toutefois que, pour les parents, c'est une étape très difficile à franchir. Ce n'est pas évident de dénoncer son enfant à la police.

Mais si vous voulez casser le cercle vicieux, ça peut fonctionner. Des fois, juste le fait de voir les policiers débarquer à la maison pour une brève visite peut avoir son effet. Par contre, si on laisse aller et qu'il y a escalade, les conséquences vont être pires plus tard. Car à l'âge adulte, c'est la prison et le dossier criminel qui te suit toute ta vie. »

C'est ce qui est arrivé avec Mark Lafleur. Pour lui, les quelques mois de détention et les thérapies que le tribunal lui a imposées, sans aboutir à une guérison miraculeuse, ont eu un impact bénéfique sur sa vie. Ce qui démontre que les parents, même s'ils en ont le cœur brisé, doivent accepter que leur enfant se retrouve derrière les barreaux si plus rien ne peut être fait pour les aider.

« Comme parent, on a envie de protéger notre enfant de ça. Et quand il est temps de réaliser que c'est peut-être la meilleure chose qui peut lui arriver, on doit se retrouver dans une sorte d'ambivalence. Je veux aider mon enfant, mais en même temps, je ne veux pas le voir en prison. C'est très difficile pour un parent d'accepter que son enfant soit placé en centre jeunesse ou encore dans le milieu carcéral et que ça va être bon pour l'aider à changer de comportement. Le piège dans lequel les parents tombent c'est de vouloir à tout prix protéger leur enfant du système judiciaire », conclut le Dr Gignac.

Me Jean-Claude Hébert n'est pas un spécialiste du comportement des enfants souffrant de TDAH ou de syndrome de Tourette, mais il a tendance à partager, du moins en partie, l'avis du Dr Martin Gignac.

« Les parents ne sont pas délateurs. La loi ne comporte aucune obligation les obligeant à dénoncer leurs enfants. Mais je conseille tout de même de prendre les dispositions nécessaires selon le cas, ce qui peut vouloir dire appeler la police. On a tous l'obligation de s'assurer que la sécurité d'autrui n'est pas menacée », opine-t-il.

À la lumière du portrait dressé par le Dr Martin Gignac, on peut faire un parallèle avec l'histoire des Lafleur. Et, bien que Lise et Guy aient vu leurs compétences parentales être mises à rude épreuve tout au long du pénible processus judiciaire qu'a traversé Mark, on se rend compte qu'ils ont posé la plupart des gestes recommandés par le psychiatre, avec ou sans succès. Ils lui ont fait voir tous les spécialistes possibles, qui lui ont prescrit diverses médications. Il a même été interné plusieurs semaines en institution psychiatrique. Ils n'ont eu de cesse de chercher des écoles adaptées pour lui à la suite de ses innombrables expulsions. Plus tard, ils ont réussi à le convaincre de subir une cure de désintoxication, qu'il a abandonnée, ce qu'on ne peut évidemment pas reprocher aux parents.

C'est quand il a quitté la maison pour tenter de voler de ses propres ailes que tout a dérapé. Le manque de balises, les mauvaises fréquentations et la drogue l'ayant projeté dans une interminable spirale de violence.

La seule chose que Guy et Lise Lafleur ne se sont jamais résolus à faire, c'est de le dénoncer à la police quand ils se sont rendu compte qu'ils ne pouvaient rien faire pour le raisonner. Mais peut-on réellement blâmer des parents pour ne pas avoir dénoncé leur fils à la police, sachant qu'il se retrouvera derrière les barreaux ?

Évidemment, cette incarcération et surtout les thérapies qui lui ont été imposées par les tribunaux ont finalement été bénéfiques pour Mark qui, pour le moment, semble marcher dans le droit chemin. Comment des parents peuvent-ils imaginer que c'est en empruntant cette voie que leur fils arrivera à sortir la tête de l'eau ?

Mais s'il va mieux, il n'en demeure pas moins que pour lui comme pour tous les autres enfants souffrant des mêmes troubles, la vie sera un long combat pour Mark, et ce, pour encore plusieurs années, si ce n'est pour toujours.

« Dépendamment du vécu de chacun, on façonne notre tempérament, notre caractère. Ceux qui ont été mis en échec toute leur vie, qui ont été rejetés et qui n'ont presque rien réussi, qui ont subi des mauvaises influences et qui ont été incarcérés présentent de gros risques de développer des troubles de personnalité. Leur mode relationnel est d'utiliser les autres. Ces gens arrivent peu à développer de l'empathie. C'est un problème chronique et il y a toujours un risque de récidive », explique le psychiatre Gignac.

Mais il y a tout de même de l'espoir. Pour ceux qui sont bien entourés, qui réussissent à éviter de se retrouver dans les situations qui sont risquées pour eux, comme la consommation de drogue.

C'est ce qui semble être le cas de Mark Lafleur, du moins pour le moment.

21
Le retour au sommet

Le 31 juillet 2008 en début de soirée, un mois après la fin du procès de Mark Lafleur, deux mille personnes se massaient à l'angle des boulevards Bouthillier et Curé-Labelle à Rosemère, sur la rive-nord de Montréal.

Ce soir-là, Guy Lafleur, écorché dans les derniers mois par la police et les officiers de justice, exténué par la tempête qu'il venait de traverser et qui n'était pas terminée, présentait au public son nouveau bébé.

Quelque temps après avoir vendu à des amis son *Mikes* de Berthierville, il inaugurait ce soir-là le *Bleu Blanc Rouge*, un splendide restaurant-bar, fruit d'un investissement de six millions de dollars et créant plus de soixante emplois. L'établissement se divise en un *steak house* chic au menu sans prétention, mais parfaitement bien exécuté et un bar-sportif où le Canadien de Montréal, le Démon blond, mais aussi toutes les légendes de l'équipe sont à l'honneur. Au plafond du bar, sont suspendues comme au Centre Bell les bannières à l'effigie de tous les grands du Canadien qui ont eu l'insigne honneur de voir leur numéro retiré. Lafleur, évidemment, mais aussi les Richard, Geoffrion, Morenz, Béliveau et Roy, entre autres. Derrière le bar, de grandes colonnes vitrées dans lesquelles sont alignées, jusqu'au plafond, des dizaines de bouteilles de champagne. À l'étage, des salles de réunion ultramodernes.

Cet événement, le plus *glamour* en ville ce jour-là, réunissait de nombreux hockeyeurs et amis de Lafleur.

Henri Richard, Jean Béliveau, Yvan Cournoyer, Stéphane Richer, Réjean Houle, Pierre Bouchard et Guy Carbonneau étaient présents. Mais aussi de plus jeunes joueurs qui ont peu ou pas eu la chance de jouer avec lui ou contre lui, comme Enrico Ciccone, Patrice Brisebois et Éric Desjardins.

Ce qui frappait surtout en ce jour de grande ouverture, c'était la foule. Foule constituée par le « vrai monde ». Des gens de l'âge de *Flower* ou plus âgés, qui l'ont adulé, assis dans leur salon, sur le bout de leur fauteuil et prêts à bondir à la moindre étincelle provoquée par le spectaculaire ailier droit. Des gens qui sont peut-être allés le voir jouer au vieux Forum.

Ce qui frappait aussi, c'était le grand nombre de jeunes gens qui, assurément, ne pouvaient avoir le moindre souvenir de Guy Lafleur en tant que joueur. Peut-être à la limite dans ses dernières années avec les Nordiques. Il y avait des enfants dont les idoles s'appellent Sidney Crosby ou Alexander Ovechkin. Des jeunes pour qui même des noms, tels Mario Lemieux et Wayne Gretzky ont peu de signification.

Et pourtant, ils ont passé la soirée à entourer Lafleur. À lui demander des autographes. Le héros du jour, lui, s'est prêté au jeu avec sa générosité légendaire. Piquant un brin de jasette avec chacun de ses admirateurs malgré leur nombre et la demande très forte. On a pu voir le Démon blond dans son élément naturel ce soir-là. Pour la première fois depuis des mois, on voyait accroché au visage de Guy Lafleur le sourire sincère d'un homme qui s'amuse, pour qui tous les tracas sont mis au rancart, au moins le temps d'une soirée.

Vu l'imposante foule, la plupart des discours protocolaires de la soirée eurent lieu sous un chapiteau à l'extérieur. Mais quand vint le temps de faire visiter son établissement à tous, Guy Lafleur et son fils Martin étaient à l'entrée, près de laquelle étaient stationnées deux rutilantes Lamborghini, serrant la main de tous ceux qui entraient, leur souhaitant la bienvenue personnellement.

Le photographe de hockey et père du grand gardien de but Martin Brodeur, Denis, était au nombre des invités. « Toute la simplicité de l'homme, vous la voyez aujourd'hui, il parle à tout le monde », racontait-il pour expliquer l'immense succès que connaît Guy Lafleur auprès du public.

« On grandit ensemble avec tous les gens, nous sur la patinoire, eux devant la télévision, et on a tellement de bons moments ensemble. Quand on joue, on ne peut pas réaliser à quel point les gens nous aiment. Quand on est retraité et qu'on a le temps de rencontrer le public, on se rend compte de cet amour », disait de son côté une autre des grandes vedettes du Canadien de l'époque Lafleur, Yvan Cournoyer.

Ce bain de foule extraordinaire, après des mois de tourmente qui ont fait vivre à Guy Lafleur les moments les plus sombres d'une vie pourtant passablement mouvementée, lui permettait de mesurer à quel point le public lui était fidèle. À quel point ce public lui vouait un amour indéfectible que rien ne pourrait briser, pas même un faux pas devant le tribunal et une accusation criminelle. Les célébrités québécoises qui peuvent s'enorgueillir d'un tel support dans les meilleurs comme dans les pires moments se comptent sur les doigts d'une seule main.

Guy Lafleur a reçu de nombreux témoignages de Québécois anonymes qui ont des fils aux prises avec les mêmes problèmes que Mark. Ils voulaient se confier, chercher du réconfort ou demander conseil. Ils ont même reçu par la poste une médaille portant l'inscription « médaille du peuple », disait Lise Barré-Lafleur dans le documentaire sur la vie de son époux.

Son étoile n'a pas du tout pâli. Il est toujours aussi sollicité. Tout récemment, il a été l'invité d'honneur d'une fin de semaine de pêche dans une luxueuse pourvoirie de Haute-Mauricie, dont le but était d'amasser des fonds pour la banque alimentaire Moisson Montréal. Sa seule présence a permis de recruter un grand nombre de riches pêcheurs et d'amasser une somme record pour l'organisme humanitaire, soit 110 000 $.

Pierre Trudel – dont les cours à la faculté de droit de l'Université de Montréal portent sur les droits des médias, le contrôle des contenus diffusés par les médias et les atteintes à la vie privée, parmi de nombreux autres sujets liés aux médias – dit du cas de Guy Lafleur qu'il a été un bon sujet de discussion avec ses étudiants.

« Il y avait deux tendances, ceux qui étudiaient en droit estimaient que Guy Lafleur n'était pas au-dessus de la loi et que les médias n'auraient pas dû embarquer dans le jeu de prendre sa défense. D'autres disaient qu'il n'est pas une personne ordinaire, qu'il est un personnage mythique et que c'est différent », raconte-t-il.

Selon lui, si le public continue d'aduler férocement le Démon blond, c'est qu'il le voit, malgré tout, comme « le père de famille par excellence auquel on peut s'identifier. »

« Il y a des gros mensonges et des petits mensonges. Ses témoignages contradictoires ont été perçus par le public comme le fait d'un père qui veut aider son fils. Il projette l'image d'un père qui a fait son possible pour aider son fils en grosse difficulté, et qui a fait des erreurs pour l'aider. Mais j'ai retenu de ses erreurs qu'il les a expliquées et qu'il semblait de bonne foi. Je serais étonné que ça le fasse baisser dans l'estime des gens. Il a affronté la situation avec dignité. Aux yeux du public, ça démontre qu'il n'est pas un héros de surface, mais un vrai héros », analyse le professeur.

Dans le village natal de Guy Lafleur, Thurso en Outaouais, le grand sujet de discussion par les temps qui courent, c'est surtout la fermeture au printemps 2009 du principal employeur du coin, la *Thurso Pulp*. Les temps sont durs là-bas comme dans toutes les petites municipalités québécoises qui vivent de l'industrie forestière, des pâtes et papiers.

Le petit hôtel Lafontaine n'est plus. Celui-là même où les ouvriers thursois, à l'heure du petit verre à la sortie du boulot, ont eu jadis comme sujet de conversation quasi unique les performances du champion local. Il a été ravagé par les flammes quelque temps avant la fermeture de l'usine.

C'est là que le père de Guy Lafleur avait appris, à sa grande stupéfaction, à quel point son fils survolait la patinoire à chaque partie de son équipe moustique contre les autres formations de la région. Le regretté Réjean Lafleur et son épouse Pierrette n'étaient pas de ces parents qui ont poussé leur enfant vers le hockey et qui criaient avec hargne dans les gradins. Évidemment, ils sont devenus d'inconditionnels fans du Canadien, mais pour eux, ce n'était qu'un jeu.

C'est aussi tout près du Lafontaine que Guy Lafleur traversa à pied, avec son lourd sac de hockey, la rivière des Outaouais, gelée par une tempête, à l'âge de 11 ans, pour rejoindre, sur la rive ontarienne, le *coach* de l'équipe *pee wee* de Rockland. Il n'était que moustique, mais on l'avait recruté pour aider l'équipe ontarienne au tournoi international *pee wee* de Québec de 1962. Tournoi au cours duquel Lafleur allait faire sa marque, avec Rockland, puis deux fois avec les *pee wee* de son village. Il allait aider son équipe à remporter le tournoi à chaque reprise et allait marquer 64 buts en trois participations. C'est d'ailleurs là qu'il fut découvert par les gens de Québec, où il émerveillerait plus tard le public, en marquant 233 buts pour un total de 379 points en seulement deux saisons avec les Remparts, dans ce qui s'avérait être la naissance de la Ligue de hockey junior majeur du Québec.

Malgré ces temps difficiles à Thurso, on se remémore volontiers le héros local. L'aréna local, où *Flower* s'introduisait pratiquement par effraction pour patiner encore et encore, avant d'y travailler pour « payer » son temps de glace, porte maintenant son nom. L'aréna Guy Lafleur. La rue voisine porte aussi son nom.

« Pendant son procès les gens ici disaient qu'il avait bien fait, qu'il devait aller jusqu'au bout pour son fils. Il ne méritait pas ce qui est arrivé. Son intention était bonne à la base. Il voulait sauver son fils. Les gens ici à Thurso disaient qu'ils auraient fait la même chose pour leur enfant, qu'ils suivraient Guy jusqu'au bout », raconte la mère de Guy Lafleur.

Elle-même n'a jamais tellement parlé à son fils de toute cette saga, qui la rendait inconfortable. Par contre, elle ne se gênait pas pour dire à Mark qu'il devait écouter son père. « T'en a rien qu'un, il ne faut pas lui faire de peine », lui disait-elle.

« Ça aurait pu être caché un peu plus. Il y a des cas bien pires que le sien. Même des politiciens qui font pire ! S'il y a une personne qui n'a jamais rien fait de secret, c'est bien lui. Ça l'a fâché, il a été traité comme un bandit. Ça a fait le tour de l'Amérique », déplore la dame à la vivacité d'esprit que l'âge ne semble pas ralentir.

Bien entendu, elle aurait préféré voir moins de reportages sur les malheurs de son fils. Malgré tout, la dame a conservé tous ces articles, les plus flatteurs comme les plus cruels, pour les placer dans un *scrapbook* qui constitue la plus formidable banque d'archives sur la vie de Guy Lafleur. C'est une tradition qu'avait instaurée son défunt époux, Réjean, décédé du cancer il y a 17 ans, dès les premiers balbutiements de la glorieuse carrière de leur fils. Il y a quelques années, seize de ces livres ont été vendus aux enchères avec d'autres objets liés à la carrière de *Flower*. Madame Lafleur a, depuis, entamé le 17e tome.

Guy Lafleur a récemment eu droit à une autre démonstration du culte inconditionnel qui lui est voué, à l'occasion de son 58e anniversaire de naissance, le 20 septembre 2009.

Une fête d'anniversaire d'une ampleur sans précédent lui a été organisée dans les studios de cinéma Mels par la compagnie de distribution de DVD Imavision. Une soirée à laquelle 800 personnes ont assisté. Les billets coûtaient une petite fortune, soit 600 $, mais l'événement était unique et les profits de la soirée étaient remis à la Fondation des maladies mentales, une cause qui, pour des raisons évidentes, tient à cœur à Lafleur.

Le concept de la soirée était plutôt original. On avait divisé une partie de l'assistance en quatre équipes dont les capitaines n'étaient nul autre que de grands joueurs québécois ayant porté les couleurs de ces formations.

Les Canadiens avaient pour capitaine le grand Jean Béliveau, les Bruins étaient commandés par le plus illustre défenseur de l'histoire du hockey, Raymond Bourque, alors que les Kings et les Sabres avaient pour leaders les deux plus grands rivaux qu'a connus Guy Lafleur sur la glace depuis ses années junior, Marcel Dionne et Gilbert Perreault.

Ces équipes s'affrontaient dans un jeu-questionnaire qui retraçait les plus grands moments de la carrière de Lafleur, mais aussi des quatre légendes du hockey précitées.

Chacun des illustres joueurs a offert son petit hommage personnel au fêté.

Raymond Bourque a raconté que, le soir de ce fameux but marqué par Guy Lafleur contre les Bruins créant l'égalité dans le septième match de la demi-finale de 1979, à quelques secondes de la fin du match, il venait tout juste de disputer une partie dans l'uniforme du Junior de Montréal, de la Ligue de hockey junior majeur du Québec.

Il sortait de l'Auditorium de Verdun et passait en autobus sur la rue Atwater au moment où les partisans quittaient le Forum en liesse après cette victoire.

« J'étais content qu'on ait encore battu les Bruins. Et, quatre mois plus tard, j'étais repêché par ces mêmes Bruins ! » se remémore-t-il.

Ce soir-là, même Don Cherry a livré un hommage, sur une vidéo préenregistrée, et a chanté, entouré de joueurs vêtus aux couleurs de ses Bruins pour l'anniversaire de Guy Lafleur.

« Grâce à toi, nous sommes tous de meilleures personnes, le Québec est un meilleur Québec », louangeait enfin l'auteur Stéphane Venne, ce qui a soutiré quelques larmes à Lise Barré-Lafleur.

Tout au long de la soirée, on a vu Guy Lafleur sourire, rire et s'émouvoir.

C'est un Démon blond presque sans voix qui s'est finalement amené sur la grande scène.

« Si on m'avait dit il y a un an que j'aurais une fête comme celle-là, j'aurais dit : *t'es malade* ! J'ai passé à travers des moments difficiles », a-t-il indiqué, avant que sa voix ne fléchisse. Il a ensuite appelé sur la scène à ses côtés tous ces grands du hockey présents dans la salle.

En marge de l'événement, il en rajoutait sur cet amour aussi intense qu'aveugle que lui vouent ses admirateurs.

« Je suis une personne qui a toujours été proche de public, et je le suis encore, je vais le demeurer. Ça n'a pas de prix, et c'est particulier d'être aussi proche. Avec les deux dernières années qu'on a vécues, ça a été un bon remède », disait-il en remerciant son public fidèle.

22
Et maintenant ?

Petit à petit, la vie de Guy Lafleur et des siens redevient plus calme.

Guy Lafleur s'occupe de son restaurant avec ardeur et passion.

De toute évidence, cet établissement, comme tout ce qu'il a entrepris Guy Lafleur dans sa vie, est un grand succès. Le stationnement y est plein presque tous les jours. Des Mercedes, des BMW, des Volvo, des Lexus et des Infiniti s'alignent devant le restaurant, signe qu'on y dépense beaucoup d'argent.

Une des serveuses du *Bleu Blanc Rouge* confie avoir déjà vu son illustre patron passer le balai après le dîner, et même faire la vaisselle à la plonge pour aider ses employés.

Il est aussi parfois tranquillement assis avec ses quelques fidèles amis qui aiment bien passer prendre un petit verre en après-midi. On peut aussi y apercevoir à l'occasion quelques retraités de la Ligue nationale de hockey attablés sous l'une des photos de *Flower* dans ses plus belles années.

Un client demande parfois à voir le célèbre propriétaire pour lui faire signer un autographe. Chose qu'il ne refuse presque jamais.

Je l'y ai vu à l'œuvre. Pour réaliser ce livre, je l'ai rencontré à deux reprises dans son restaurant.

Il est évident que, malgré le succès de son établissement, la grande fête que lui ont organisée ses amis pour son anniversaire, l'amour du public, l'homme a vieilli. Il semble sur ses gardes, plus méfiant que par le passé. Le feu dans les yeux du combattant a faibli.

Guy Lafleur a vécu au cours de sa glorieuse carrière des hauts très intenses et des bas qui l'étaient tout autant. Et pourtant, rien ne s'était approché de cette dure épreuve, la plus dure qu'il ait traversée de sa vie, dit-il.

Il ne décolère pas du traitement que lui ont infligé les tribunaux.

Guy Lafleur n'admettra jamais, comme l'a dit le juge Claude Parent en rendant son verdict, qu'il a menti à la Cour pour dérouter la justice. C'était un oubli, pas de la mauvaise foi.

« Et ce n'est pas tout, il faut aussi donner les bonnes sentences à la fin », ajoute-t-il visiblement en colère. Pour lui, une année de probation, même si la seule condition qu'il doive observer est celle de garder la paix, ce qui n'est pas chose difficile dans son cas, est déraisonnable. L'amende aurait suffi.

Il a toutefois décliné l'offre de collaborer plus largement à la réalisation de cet ouvrage. Pour diverses raisons, entre autres compte tenu de cette cause que la Cour d'appel n'a pas encore entendue. Il dit vouloir se faire discret et ne pas se tirer dans le pied d'ici là. Il y a aussi son épouse, Lise, qui a du mal à se relever de cette douloureuse épreuve. Pour réaliser ce documentaire sur la vie de *Flower*, elle s'est ouverte, pour la première fois, sur le drame vécu avec Mark, sur sa dépression, sur ses mois de silence et ses crises de panique. C'en fut assez pour elle, nous apprend Lafleur.

Son regard se ravive toutefois un peu quand j'abordai le sujet de Mark.

« Il retourne à l'école cet automne (automne 2009), ça va mieux, il fait de gros progrès », indique le père de famille le plus adulé du Québec.

En effet, brièvement rencontré devant la jolie maison de Blainville que lui a achetée son père quand il a commencé à mieux aller, Mark Lafleur donne l'impression d'être un jeune homme stable et sérieux.

Du moins, si on le compare avec le jeune homme blanc comme un drap, grand et maigre à l'air d'un chien battu qui est apparu pour la première fois dans le box des accusés au palais de justice de Montréal le 1er février 2007.

Ce jeune homme, quand il réussit à mettre ses problèmes de côté, ressemble étonnamment à son père. Il a hérité de son physique athlétique, de son entregent, de sa politesse et de sa bonne humeur. De son talent pour le hockey aussi, malheureusement gâché par ces troubles de comportement et ces médicaments qui l'assommaient. C'est peut-être cette ressemblance entre son fils et lui qui trouble tant Guy Lafleur quand il constate à quel point la vie les a pourtant menés dans des voies si opposées.

Dans une brève discussion, Mark m'a confié que de voir son père étaler sa vie devant les tribunaux et voir ses compétences parentales être sans cesse mises à l'épreuve par la Couronne lui a fait la plus grande peine.

Je l'avais rencontré au palais de justice de Montréal en mars 2009. Il y était pour régler le dernier dossier qui restait en suspens devant les tribunaux. Pendant sa détention, il avait été accusé de voies de fait sur un gardien de prison avec qui il avait eu une empoignade après avoir lancé des insultes à une gardienne. Il venait plaider coupable.

« Je vais plaider coupable, ça va mettre fin à tous mes dossiers. Je ne reviendrai plus jamais ici », promit-il avec confiance.

Il indiquait alors qu'il travaillait parfois pour son père « qui était un patron très sévère » au *Bleu Blanc Rouge*, et que les thérapies qu'il suivait depuis sa condamnation lui faisaient le plus grand bien.

À lui voir la mine, on a tendance à le croire.

Guy Lafleur y croit aussi. Son principal but dans la vie aujourd'hui, c'est de voir son fils retrouver le bonheur et la stabilité. Il sait qu'il ne pourra jamais oublier ni mettre derrière lui tout ce qui est arrivé. Mais, il apprend à vivre avec ce fardeau. Il espère surtout que son fils ne fera plus jamais vivre pareil calvaire à sa famille. Sa mère ne pourra traverser cet enfer deux fois.

« Je souhaite que Mark Lafleur soit un jour assez bien dans sa peau, assez lucide surtout, pour réaliser qu'il a brisé le cœur et la vie de sa mère et qu'il a entaché sérieusement l'intouchable intégrité de son père. L'intégrité est sans doute le bien le plus précieux que possède Lafleur. Après l'avoir héritée de ses parents, il n'y a rien qu'il n'avait pas fait pour la protéger et pour devenir ce qu'il est devenu, c'est-à-dire un être humain d'une qualité exceptionnelle », souhaitait Bertrand Raymond dans une de ses chroniques sur la saga Lafleur, sur le site *RueFrontenac.com.*

Espérons que Mark entende tout cela et que, comme son père — qui s'est donné une deuxième chance de compléter la tête haute sa carrière en effectuant le plus spectaculaire retour au jeu de l'histoire du hockey après une disgracieuse retraite —, Mark saura saisir cette deuxième chance que lui donnent la justice et sa famille, et qu'il permette à ses parents d'aspirer, pour la première fois de leur longue vie commune, à la quiétude qu'ils méritent.

DANS LA COLLECTION « À DÉCOUVERT »

PARUS

Michael Jackson : Les dernières années
Ian Halperin

Guy Laliberté : La vie fabuleuse du créateur du Cirque du Soleil
Ian Halperin

*
* *

À PARAITRE

Brangelina
Ian Halperin

Kiefer Sutherland, vivre dangereusement
Christopher Heard

Le rêve olympique : Splendeur et misère du patinage artistique
Pénélope Barbe

Transit Éditeur
1996 Boulevard Saint-Joseph Est
Montréal (Québec)
H2H 1E3
Téléphone : +1-514-273-0123
Télécopieur : +1-866-258-7772

www.transitediteur.com

Éditeur : Stéphane Berthomet
Éditeur adjoint : Nicolas Fréret
Correction : Karine Bujold-Desjarlais
Conception et mise en page : Nassim Bahloul
Réalisation de la couverture : François Turgeon
Photo de l'auteur : © David Santerre

Illustration de la couverture :
Photo by Denis Brodeur/NHLI via Getty Images
© Christinne Muschi/Corbis

Distribution au Québec :
Agence du Livre (ADL)

ISBN : 978-0-981-2309-6-2

Dépôt légal : troisième trimestre 2009
Bibliothèque nationale du Québec
Bibliothèque nationale du Canada

Achevé d'imprimer en novembre 2009
sur les presses de Worldcolor St-Romuald

470, 3e Avenue
St-Romuald
Québec G6W 5M6

pour le compte de Transit Éditeur

Imprimé au Québec

Dépôt légal : Troisième trimestre 2009

ISBN : 978-0-981-2309-6-2